Page 118 →

D0122027

Afin de vous informer de toutes ses publications, **marabout** édite des catalogues et prospectus où sont annoncés, régulièrement, les nombreux ouvrages qui vous intéressent. Pour les obtenir gracieusement, il suffit de nous envoyer votre carte de visite ou une simple carte postale mentionnant vos noms et adresse, aux **Nouvelles Editions Marabout,** 65, rue de Limbourg - B-4800 Verviers (Belgique).

Yannick Bourdoiseau

Développez vos pouvoirs invisibles

marabout

La collection **marabout** est éditée par la s.a. les Nouvelles Editions Marabout, 65, rue de Limbourg, B-4800 Verviers (Belgique). — Distributeur exclusif en **France** Librairie HACHETTE, Avenue Gutenberg, Z.A. de Coignières - Maurepas - 78310 Maurepas B.P. 154 — Distributeur exclusif pour le **Canada** et les **Etats-Unis** : A.D.P. Inc. 955, rue Amherst, Montréal 132, P.Q. Canada — Distributeur en **Suisse** : Diffusion SPES, 39, route d'Oron, 1000 Lausanne 21.

Un paranormal utile ?

Le mystère des trains qui déraillent

Il y a quelques années, les compagnies d'assurances qui garantissaient les risques courus dans les chemins de fer rassemblèrent un grand nombre de statistiques sur la fréquentation des lignes, le taux d'occupation des trains, pour tous les trajets et à chaque heure du jour et de la nuit.

Les assureurs conclurent que l'on devait augmenter les primes — ce qui n'étonna personne — mais ils établirent également que le nombre habituel de passagers diminuait *avant* les accidents les plus graves : collisions et déraillements.

Comme si les voyageurs prévoyaient la catastrophe...
Ce fait n'a toujours pas reçu d'explication rationnelle satisfaisante : il est inconcevable, *a priori*, qu'un événement futur influe sur le comportement d'hommes et de femmes qui ne pouvaient le prévoir.

Malheureusement, comme disait le psychiatre Charcot, « ça n'empêche pas d'exister »...

Pour notre part, nous ne pouvons nous empêcher de porter quelque intérêt à ce phénomène étrange qui dissuade les voyageurs de prendre un train le jour où il va dérailler. C'est l'une des justifications de ce livre : si *les pouvoirs extra-sensoriels* existent, *ils peuvent nous aider*.

Nous aider non seulement dans des circonstances exceptionnelles, mais aussi dans la vie quotidienne.

A cela, on peut objecter qu'ils se manifestent avec clarté, et donc avec efficacité, chez des sujets eux-mêmes exceptionnels. C'est partiellement inexact. En fait, chacun de nous connaît et envie des gens qui possèdent une langue étrangère après quelques semaines d'efforts distraits. Nous savons également que toute personne possédant un niveau intellectuel convenable parviendra au même résultat, si elle s'en donne la peine. La peine, c'est-à-dire le temps, l'obstination, la volonté, l'attention, et les moyens techniques. Le public est mobilisé par les « champions » du paranormal (dont les plus remarquables sont, pour la plupart, connus des seuls spécialistes) parce que le « don » — caprice de la Nature ou des dieux — le fascine, le trouble et, surtout, le fait rêver...

Or, les parapsychologues du monde entier s'accordent pour reconnaître à la totalité des êtres humains (et à bon nombre d'espèces animales) la possibilité au moins virtuelle d'utiliser ses facultés paranormales. A condition de les exercer.

Le mouvement se démontre en marchant !
Et voici l'autre raison d'être de ce livre qui s'adresse à tous — même et surtout aux sceptiques : grâce à des exercices simples, démontrer que l'on peut développer ses pouvoirs extra-sensoriels. Point n'est besoin d'y croire aveuglément : « Ça n'empêche pas d'exister » comme disait Charcot. Et personne ne tenterait de décourager un pianiste débutant en affirmant que la musique n'existe pas !

Recherches et exercices ont été sélectionnés selon trois critères : Primo, utiliser exclusivement l'abondante littérature *scientifique* rassemblée sur ce sujet. On nous reprochera — mais c'est un défaut qui n'a, selon nous, que des avantages — de n'avoir rien *inventé*. En effet, pour faire ces « révélations », nous ne nous sommes pas substitué aux spécialistes, nous n'avons pas bricolé de méthode inédite ou mitonné de « potion magique ». Mais nous avons mentionné nombre de travaux difficilement accessibles en français, et nous les avons traduits quand ils étaient en anglais, en allemand ou en russe.

Second critère, la *simplicité* : On peut obtenir de bons résultats en utilisant un matériel coûteux, un appareillage complexe, en mobilisant des équipes extrêmement nombreuses.

De tels moyens sont à la disposition des chercheurs, dans les grands laboratoires, pas à la portée du grand public. Toutefois, lorsque les technologies « lourdes » ont été vulgarisées, nous les avons décrites. C'est le cas, notamment, des systèmes de contrôle informés « par retour » (feed-back).

Enfin, ce fut notre troisième critère, nous avons éliminé les *procédés présentant un risque*. Non que le paranormal, que l'on vêt quelquefois d'oripeaux inquiétants, soit dangereux en lui-même. Le « signal d'alarme » des usagers du chemin de fer tendrait à prouver le contraire. Simplement, ces voies périlleuses ne se révèlent pas plus directes, ni praticables, que les autres...

Et maintenant... bonne route !

Comment accéder au paranormal

Il fut un temps — peut-être pas aussi éloigné — où les hommes employaient leurs facultés paranormales au même titre et tout aussi naturellement que les autres.

Au cours des âges, ce savoir a reculé devant les catégories positives, mécanistes et matérialistes. Les Inquisitions religieuses et scientifiques l'ont traqué, faute de pouvoir l'intégrer à leurs systèmes ou le faire servir à leur pouvoir. Consulter : M. Eliade : le folklore comme moyen de connaissance, 1937. Avant de constituer un objet scientifique, les faits parapsychologiques ont été « maudits ». Heureusement, dans les marges de la pensée dominante, un peuple obscur recueillait l'héritage de la « pensée magique » et démontrait la réalité des facultés paranormales en les utilisant d'une façon d'ailleurs toute banale.

Depuis quelques années, la tendance se renverse. Le paranormal suscite une immense curiosité et aussi, il faut bien l'avouer, une immense convoitise : les programmes de recherche à des fins militaires en font foi. Dans le public, beaucoup de gens sentent que nombre d'expériences humaines ressortent non de l'analyse rationnelle, mais de facultés intuitives, discrètes mais efficaces, dont nous avons perdu l'usage volontaire... Bien que leur redécouverte se soit amorcée au XIXᵉ siècle, sous des formes poétiques (romantisme, puis, au XXᵉ, surréalisme) ou ` religieuse (spiritisme), il fallut attendre les années 1930 pour qu'un Américain, J.B. Rhine[1], pose les bases expérimentales d'une nouvelle discipline scientifique, la parapsychologie.

2 800 millions d'exceptions

Les parapsychologues se sont d'abord occupés des manifestations de ces pouvoirs chez des individus exceptionnels ou dans des conditions expérimentales très particulières : il en fut ainsi, bien avant eux, de l'hypnotisme (le «sommeil artificiel») pour Mesmer* avant que l'un de ses disciples, Puységur*, ne démontre l'existence de la suggestibilité chez n'importe quel sujet. Les individus capables de perceptions extra-sensorielles (nous abrégerons en P.E.S.) furent longtemps considérés comme autant d'exceptions remarquables. Les parapsychologues étaient très ennuyés d'avoir affaire à des «monstres» : «Ceci n'enlevait rien à la valeur des observations ni aux enseignements éventuels qu'on en peut tirer pour une compréhension plus fine de certaines lois, encore inconnues, qui régiraient des phénomènes psychiques plus «normaux». Mais l'idéal était de mettre en évidence des phénomènes parapsychologiques «simples» chez des sujets quelconques, qu'aucun don, aucun pouvoir inhabituel ne viendraient signaler à l'attention de tous. L'impossible deviendrait la chose du monde la mieux partagée. Et c'est bien, semble-t-il, une des tendances des recherches actuelles[2].»

En effet, la plupart du temps, quand on s'est donné la peine d'y aller voir, on a trouvé chez des sujets pris au hasard des aptitudes paranormales au moins potentielles : c'est ainsi que les expériences du professeur Rhine sur la clairvoyance, expériences auxquelles nous consacrerons un large développement, sont

---

[1] Pour les noms cités dans cet ouvrage signalés par un astérisque voir la Bibliographie ou le lexique.

[2] *Encyclopédie de la psychologie*, vol. VI, page 11 (Paris, Nathan, 1973). «Je crois fermement, déclare le professeur Milan Ryzl à David Hammond, que des aptitudes psychiques dorment en chacun de nous, mais la question est de savoir si nous nous trouverons un jour dans des conditions favorables à leur mise en œuvre.» *The Search for Psychic Power* (Londres, Corgi Books, 1975).

conduites sur des Américains moyens dont ce sera, bien souvent, la seule incursion dans le domaine du paranormal. Bref, vous ou moi qui n'avons que des rapports épisodiques avec l'au-delà, nous sommes probablement dotés de facultés paranormales embryonnaires, au même titre que nos deux mille huit cents millions de congénères...

Jusqu'où s'étendent les facultés paranormales ?

Nous n'en savons rien, car on ne cesse de voir s'élargir le champ de leurs manifestations. Soit qu'un type d'action connu présente des caractéristiques nouvelles : deux télépathes vont communiquer de plus en plus loin ou à travers des matériaux de plus en plus épais ; soit qu'on en découvre les effets là où l'on ne les attendait pas : sur la croissance des végétaux, la structure atomique d'un cristal, etc. Avant les travaux d'Hans Berger, que savait-on de l'activité cérébrale ? Bien moins que nous n'en connaissons aujourd'hui sur les mouvements d'objets à distance, les télékinésies[1] ou les «voyages hors du corps».

Faire du hasard pour l'éliminer

Une très intéressante constatation expérimentale concernant les manifestations paranormales est due au Dr Gertrude Schmeidler[2] et porte le nom «d'effet moutons-chèvres». Cet effet apparut lorsque l'on compara les résultats obtenus par deux groupes de sujets dont l'un «croyait» à la possibilité d'une transmission extra-sensorielle (les «moutons»), tandis que l'autre refusait cette éventualité (les «chèvres»). De 1945 à 1951, le Dr Gertrude Schmeidler fit effectuer 149 625 expériences à 692 «moutons» et 101 250 expériences à 465 «chèvres». Les «chèvres» obtinrent 301 résultats *en dessous* de l'espérance statistique, soit 0,3 % de moins que la norme, alors que les «moutons» obtenaient un résultat de 0,4 % supérieur à cette même norme. Des calculs complémentaires montrèrent que la différence entre

[1] Pour le vocabulaire de la parapsychologie, et les mots particuliers signalés par un astérisque, voir «le lexique»
[2] Voir l'encadré page 15.

«moutons» et «chèvres» ne pouvait être attribué au hasard[1].

Hans Berger découvre les ondes du cerveau

Des variations dans le potentiel électrique du cerveau ont été détectées pour la première fois en 1875, par le physiologiste anglais Caton. Ayant trépané un chien, il appliqua des électrodes directement sur le cerveau de l'animal et put ainsi constater l'existence de courants extrêmement faibles (…). En 1924, le psychiatre autrichien Hans Berger enregistra ces courants au moyen d'un galvanomètre très sensible. La publication de ses travaux, cinq années plus tard, inaugura l'ère de l'électro-encéphalographie.

Les neurologues, les psychiatres et les parapsychologues fondèrent beaucoup d'espoirs sur cette technique qui semblait donner accès à l'activité cérébrale même. Hélas, l'E.E.G. donne peu d'informations sur le *contenu* de cette activité. C'est un peu, pour reprendre une image de Rémy Chauvin*, «comme si l'on cherchait à comprendre le fonctionnement d'un moteur à explosion en écoutant le bruit qu'il fait».

Depuis 1958 et la publication des travaux de Gertrude Schmeidler, la comparaison entre «chèvres» et «moutons» a donné lieu à beaucoup d'interprétations et de commentaires. En fait, si l'on constate l'existence d'une différence significative, on est bien en peine de lui donner une explication. Cette question est pourtant de première importance lorsque l'on envisage de développer les facultés paranormales d'un individu quelconque, puisqu'on ignore à quel point il participe de l'espèce «mouton» ou de la race «chèvre».

Il est très possible aussi que la croyance dans l'existence de facultés paranormales dépende de la facilité avec laquelle le sujet les met spontanément en œuvre, de l'expérience qu'il en a eue dans le passé, de la manière dont il a été informé à leur sujet, etc.

Des études psychologiques et caractérologiques ont également été conduites afin de déterminer le «profil» des sujets les plus doués. Le Dr Betty Humphrey, par exemple, compara les aptitudes paranormales de sujets classés selon leurs tendances à l'intro ou l'extraversion (on nomme introversion un ensemble d'attitudes qui porte l'intérêt du sujet vers lui-même, et extra-

[1] « More Elements of the Pattern » in *From Anecdote to Experiment in Psychical Research* (Thouless, Routledge & Kegan Paul, Londres, 1972).

version la tendance inverse, ouverte sur l'extérieur). Il semble bien que les extravertis aient plus de facilité à mettre en œuvre leurs facultés *psi*. Certaines expériences ultérieures ont cependant contredit ces résultats ; ce qui est acquis, c'est qu'introvertis et extravertis ne réagissent pas de la même façon.

Les moutons et les chèvres du Dr Schmeidler

En 1970, Gertrude Schmeidler réunit un groupe d'étudiants des Y.M.C.A. (Association des jeunes gens chrétiens) et un groupe de jeunes infirmières. Les premiers étaient des « super-moutons » et les secondes des « super-chèvres ». Un troisième groupe leur fut adjoint, plus tard, composé de « jeunes cadres dynamiques ». L'analyse des résultats démontra que le degré de la *motivation collective* l'emportait (pour faire apparaître ou maintenir inexprimée les aptitudes *psi*) sur les différences individuelles. Ainsi, le groupe des infirmières obtint des résultats médiocres dans l'ensemble, alors que les jeunes cadres, s'attaquant aux tests *psi* comme à un marché inexploité, firent montre de capacités nettement supérieures à la normale. Et cela bien que dans chaque groupe il y ait eu des éléments « doués » et d'autres « moins doués ». Le groupe Y.M.C.A. obtint des résultats médiocres, en dépit de son « désir de croire » vraisemblablement parce que sa volonté de réussir était insuffisante (« Mood and Psi », City University of New York, in *Proceedings of the Parapsychological Association*, 1971).

Les rats sont-ils complices ?

De fait, comme bien souvent lorsque l'on défriche une terre inconnue du savoir, chacun découvre des voies d'accès selon son cœur, son inspiration... ou son génie. C'est ainsi que l'on doit à deux éthologues[1] l'une des plus importantes expériences conduite sur les facultés *psi*, parce qu'elle démontre sans conteste que le paranormal n'est pas dû à une quelconque suggestion ou aux caractéristiques psychologiques particulières du sujet : en l'occurrence, le rat de laboratoire.

Cette expérience élimine l'hypothèse de la complicité entre le sujet et l'expérimentateur, hypothèse relancée après la publication des travaux de G. Schmeidler sur les bonnes dispositions

[1] L'éthologie est la science qui étudie le comportement des êtres vivants. L'écologie est la science qui étudie les rapports de ces êtres vivants avec le milieu.

des volontaires lors des recherches sur le paranormal : le rat n'a pas d'avis tranché sur cette question. Grâce à un dispositif nommé « générateur de hasard* », elle élimine également l'hypothèse d'une orientation inconsciente des résultats ; enfin, elle nous donne un très bel exemple d'expérimentation et de démonstration fondé sur une procédure somme toute assez simple. MM. Duval et Montredon relièrent le générateur de hasard à une boîte dont le plancher, divisé en deux secteurs A et B séparés par une petite barrière, était électrifié. Un rat était placé dans la boîte. Régulièrement, le générateur de hasard déclenchait l'électrification de la partie A ou de la partie B. Si le rat était dans le mauvais secteur, il recevait une légère secousse électrique, bénigne, mais douloureuse ; le réflexe de fuite jouant, il sautait alors dans l'autre secteur, et ainsi de suite.

Une chance plus étonnante encore

Or, l'analyse du film de l'expérience (qui se déroulait hors de la présence des expérimentateurs) montra qu'au bout d'un certain laps de temps le rat sortait du secteur qui allait être électrifié, une fraction de seconde avant de recevoir la décharge, *comme si l'animal prévoyait quel secteur allait être électrifié, bien que cela ne fût pas déductible par l'observation ou le raisonnement.*

Naturellement, on peut admettre que le rat sautait à chaque fois par hasard dans le secteur inoffensif. Mais si ce « hasard » se reproduit des dizaines de fois, pareille répétition d'un événement improbable est plus extraordinaire encore que l'hypothèse d'une causalité paranormale, d'une prémonition[1].

L'étrange, le merveilleux et le paranormal

« J'ai hésité à révéler au monde un grand mystère, grâce auquel l'homme apprend qu'il a en lui, à la portée de sa main, une énergie qui obéit à sa volonté, à sa puissance imaginative, et qui

---

[1] Si le phénomène *psi* chez les animaux vous intéresse, vous pouvez vous reporter à notre dossier, en fin de volume : vous y trouverez le compte rendu de deux autres expériences conduites sur les télékinésies* animales, page 159.

peut agir extérieurement en exerçant son influence sur les choses et les personnes, à distance. »

La lecture de cette citation de Van Helmont nous montre qu'au début du XVIIᵉ siècle les hommes de science étaient déjà — ou encore — préoccupés par les facultés paranormales.

Van Helmont (1577-1644), médecin et chimiste flamand, a découvert le gaz carbonique (qu'il nommait très poétiquement « gaz sylvestre ») et la sécrétion gastrique. Il a rédigé également un long mémoire sur ce que nous appelons aujourd'hui la télé-pathie*. On a retenu le gaz et rejeté la « puissance imaginative qui agit à distance ». Cette occultation était sans doute indispensable au développement de la science positive ; elle ne l'est plus aujourd'hui, et les recherches sur les phénomènes psychiques « anormaux » vont bon train.

Nous ne ferons pas un tour d'horizon historique dans un but purement documentaire. Il nous permettra surtout de débroussailler le vaste et mystérieux domaine des facultés paranormales, de voir comment elles furent diversement observées et interprétées, et d'éviter les pièges tendus par la crédulité magique qui demeure en chacun de nous.

La notion de paranormal est aussi récente que la division du monde en « ce qui peut se produire » et « ce qui ne peut pas se produire ». Une telle division n'avait aucun sens pour les hommes qui voyaient dans la nature un miracle et des miracles dans la nature. Pour les Anciens, il y a du « merveilleux », de l'« étrange », jamais de l'anormal. Cicéron[1] et Epicure[2] relatent aussi calmement les performances des devins égyptiens que leur traversée du Nil ; Descartes, loin de contester que deux esprits puissent communiquer sans intermédiaire matériel, fournit la première théorie du phénomène. L'ennui, c'est que, tout en admettant les facultés paranormales comme des choses naturelles, on ne prend guère la peine de les étudier, pas plus d'ailleurs que les choses naturelles.

---

[1] Marcus Tullius Cicero : homme politique et orateur latin du 1ᵉʳ siècle avant J.-C.
[2] Epicure : philosophe grec du IIIᵉ siècle avant J.-C.

Aussi les témoignages dont nous disposons mêlent-ils un peu tout, et forment un bric-à-brac de pièces à conviction dont nul n'a l'idée de vérifier l'authenticité. Qu'importe, puisque tout est « vrai » !

Pourtant, dans ce fatras surnagent des pratiques magiques telles que le *chamanisme**, défini par l'ethnologue Mircea Eliade comme une « technique de l'extase » (M. Eliade : le chamanisme et les techniques archaïques de l'extase, Payot, Paris, 1974), l'envoûtement positif (« magie blanche ») aux buts thérapeutiques et son contraire nuisible (« magie noire »). Pour nous, modernes, le chamanisme est assimilable à une forme d'hypnose obtenue par des mouvements inlassables du sorcier qui plonge le sujet ou se plonge lui-même dans un état de transe favorable aux visions. Le chaman réconcilie le corps et l'esprit et les soumet successivement l'un à l'autre. Pendant la transe, les réactions physiologiques du sujet sont profondément modifiées : sa sensibilité à la douleur est réduite, ses pouvoirs de télépathe ou de guérisseur sont exacerbés. Les pythonisses grecques, les haruspices latins, les *medicine men* nord-américains pratiquaient tous, bien que de manière différente, le chamanisme. La boule de cristal de nos voyantes n'est qu'une forme abâtardie de cette technique archaïque d'induction mentale : concentration et répétition abaissent le seuil de la vigilance et diminuent la dépendance de l'esprit à l'égard du monde extérieur. Elles favorisent donc l'apparition de phénomènes anormaux.

La « magie blanche » est essentiellement guérisseuse. Elle suppose une influence de l'esprit sur le corps, influence maléfique que l'on va combattre avec ses propres armes, dont l'envoûtement (ou plutôt le désenvoûtement) : Jésus chasse les démons du corps des possédés et... Charcot* suspend les manifestations fonctionnelles de l'hystérie pendant l'hypnose. La « magie noire[1] », au contraire, provoque l'affaiblissement ou la mort de l'ennemi. Faute de disposer de son corps, on utilise une

---

[1] « Partout dans le monde on admet la possibilité d'obtenir des pouvoirs magico-religieux aussi bien spontanément (maladies, rêves, rencontre fortuite d'une « source de puissance », etc.) que volontairement (quête). Il y a lieu d'observer que l'obtention non héréditaire des pouvoirs magico-religieux présente un nombre presque illimité de formes et de variantes. » (M. Eliade : op. cit.)

figurine, une poupée, que l'on crible d'épingles aux endroits que l'on souhaite atteindre ; à moins que l'on ne recueille des ongles et des cheveux de la future victime pour les faire brûler ou conférer un pouvoir supplémentaire à son substitut. Que retenir de tout cela ? D'abord *le rôle du support matériel dans le déclenchement d'un phénomène parapsychologique, qu'il soit volontaire ou involontaire :* l'état de conscience vigile (qui est le vôtre, je l'espère, en lisant ces lignes) est lui-même le produit d'un ensemble de forces physiques, chimiques et bio-électriques complexes. Ces forces ont une action positive en permettant, par exemple, de percevoir le texte écrit (localisation), de le décrypter, de l'enregistrer dans la mémoire ou de le lire ; action négative également, en mettant de côté les informations qui, venues du monde extérieur, pourraient perturber la lecture : régulation sanguine, lutte contre les agressions du bruit ou de la lumière, etc.

Nous sommes prédisposés, par l'éducation et la pratique quotidienne, à ce que notre attention fonctionne dans ce sens (disons : de l'intérieur vers l'extérieur). Par contre, il nous est beaucoup plus difficile de nous concentrer, c'est-à-dire de faire fonctionner la machine à contresens (de l'extérieur vers l'intérieur) : le « paysage » où se fixe notre attention nous est étranger, inconnu, un peu angoissant. Nous avons tendance à le fuir pour des stimuli connus : les *medicine men* faisaient du bruit pour éloigner les charmes, et l'on retrouve cet usage dans les coups d'avertisseurs qui accompagnent les jeunes mariés à leur sortie de la mairie. Beaucoup de ménagères allument la télévision pour se distraire l'après-midi, mais n'y jettent pas un regard. Pour favoriser l'apparition de vos dons supranormaux, il faudra que vous vous exerciez à « écouter » votre corps, ce qui implique *une rupture — plus ou moins brutale — avec l'environnement agressant, rupture signifiant, dans un premier temps, prise de conscience.* Pour échapper aux conditionnements qui bloquent nos facultés normales et paranormales, il faut prêter la plus grande attention au monde extérieur : pas de véritable concentration qui ne commence par une plus grande attention portée sur les choses. L'homme moderne qui veut retrouver son « moi » profond et rétablir la communication rompue entre son psychisme et les formes refoulées de son inconscient a principalement recours à trois méthodes :

1) la (ou les) psychologie des profondeurs — psychanalyse freudienne, analyse jungienne, etc. ;

2) les méthodes de relaxation et de déconnexion — méthode Jacobson, training autogène de Schultz et contrôle du *feed-back*[1] grâce aux ondes alpha;

3) enfin, l'hypnose classique obtenue par suggestion ou narcose chimique.

Deux télépathes pour un clairvoyant

Les méthodes utilisées ont dû s'adapter au caractère facétieux des phénomènes « psi ».

C'est pourquoi il est si souvent fait appel à des techniques qui n'ont guère de rapport, a priori, avec l'irrationnel.

L'un des attraits de la parapsychologie, pour les jeunes chercheurs, réside dans la nécessité de tourner les problèmes en faisant preuve d'astuce, d'imagination, en utilisant des modèles, en élaborant des protocoles inédits, et puisés à toutes les sources... Prenons un exemple concret : les recherches sur la télépathie ; elles ont longuement stagné parce qu'elles nécessitaient la participation de *deux* télépathes, autrement dit de deux sujets ayant des dons exceptionnels et capables de les manifester au même moment. Quand l'un des deux télépathes n'était pas « en forme », il ne se passait rigoureusement rien, et les sceptiques criaient à la supercherie. On a largement progressé en abordant la télépathie sous un angle différent, celui de la clairvoyance* : un seul sujet suffit alors, qui s'efforce non plus d'entrer en communication avec son *alter ego*, mais de « voir » un fait objectif, événement lointain ou signal aisément contrôlable. Du même coup, on a supprimé l'objection de la tricherie puisque n'importe qui peut être à l'origine de cet événement ou de ce signal. Voilà un « plus court chemin » dans l'étude et le développement des facultés télépathiques.

---

[1] Feed-back : mot anglais qui signifie « alimentation en retour ». Vulgarisé par la théorie de l'information, il définit une influence récurrente du message émis sur l'émetteur.

Voir ce qui doit être vu

Autre enseignement de l'Histoire : on passe souvent à côté des phénomènes paranormaux, faute de les chercher là où ils se trouvent. *Lorsque la Commission spéciale de l'Académie de médecine eut à se prononcer sur le « magnétisme animal » de Mesmer, elle constata que le « fluide magnétique » n'était accessible à aucun sens et attribua ses effets surprenants à « l'imagination ». Personne, parmi des savants éminents, ne s'étonna que l'esprit pût avoir sur le corps une telle influence.* Il fallut attendre un demi-siècle pour que Charcot et la médecine officielle considèrent les liaisons psychosomatiques ! Il en est ainsi de nos rêves, auxquels, la plupart du temps, nous n'attachons pas grande importance ; il en est de même pour ces petits faits, prémonitions, coïncidences, bizarreries, que Charles Fort* rassembla par milliers dans la catégorie des « faits maudits ». *Savoir « voir ce qui doit être vu » est une qualité éminente de l'homme de science et du chercheur en général. C'est une nécessité absolue pour celui qui possède des dons paranormaux potentiels et désire les développer.*

La parapsychologie, science moderne

Paradoxalement, au XIXe siècle, au moment où la médecine récupérait le sommeil artificiel, déferlait sur l'Occident une vague de métaphysique à bon marché, le spiritisme. L'espoir immémorial de communiquer avec les morts suscita une foule de cercles psychiques où, entre deux tasses de thé, Napoléon et Jules César venaient confier leurs états d'âme. On a beaucoup raillé le spiritisme, on l'a même chansonné (« la queue du chat »), mais on ne peut dissimuler qu'il eut une influence bénéfique sur les études parapsychiques en stimulant les efforts des chercheurs scientifiques : c'est en 1882 que fut créée la Société pour les recherches psychiques, groupant des savants de toutes disciplines dans le dessein « d'ajouter les expériences aux expériences ». De là date la parapsychologie moderne et la redécouverte, au plan mondial, d'un réel au-delà des relations causales et de la logique cartésienne.

Que nous apprend la parapsychologie moderne ?

D'abord, et c'est essentiel, que l'on peut étudier la plupart des phénomènes paranormaux en utilisant les concepts et les méthodes de la science positive, dans son état actuel[1]. L'un des pays qui, aujourd'hui, étudient le plus sérieusement les facultés paranormales est l'U.R.S.S. Le moins que l'on puisse dire, c'est que la philosophie dominante en Union soviétique n'est pas favorable aux croyances religieuses... Pour se découvrir des facultés paranormales, il n'est donc pas utile de croire aux esprits ou à l'intervention de puissances surnaturelles.

La « grâce » spirite éliminée, il restait à découvrir pourquoi certains sujets présentaient des symptômes si curieux, manifestaient des dons si étranges. On s'aperçut bientôt qu'ils n'étaient ni si curieux ni si étranges ; qu'en réalité la *plupart d'entre nous* sont capables de tels exploits, à condition d'y prêter attention. Bien que l'étude de médiums* soit encore à la pointe des recherches paranormales — car ils présentent, spontanément et sous une forme aiguë, ce qu'on ne trouve qu'à l'état embryonnaire chez tout un chacun —, la prémonition, la télépathie, les synesthésies* sont révélées à l'échelle de populations entières, nombreuses et hétérogènes.

Voilà pour le contenu. Quant à la forme, elle est celle de toute recherche scientifique : avant tout, collecte de faits « sur le terrain » ou en laboratoire, puis vérifications, tentatives de reproduction, comparaisons multiples avec des phénomènes connus, enfin (c'est là où le bât blesse), tentative d'explication et théories diverses. Dans l'état actuel des connaissances, seules les premières étapes ont été franchies : les faits existent, nombreux, concordants, mais aucune théorie n'en rend valablement compte : on sait qu'il se passe « quelque chose », mais pas ce qu'est cette chose. Les laboratoires ne sont encore que bancs d'essai où l'on développe obstinément le fait paranormal[2].

[1] A un moment donné de l'histoire, l'état des sciences est fort divers d'une discipline à l'autre. A tel point qu'elles pourront fonctionner sur des modèles et grâce à des concepts contradictoires : la physique des quanters s'est établi au moment où triomphait la chimie moléculaire classique...

[2] Paradoxalement, c'est au pays de l'individualisme triomphant — les U.S.A. — que l'on pratique le plus volontiers la recherche statistique, alors que les Soviétiques à l'idéologie égalitaire se penchent par préférence sur les cas « exceptionnels ».

Peut-on apprendre à utiliser ses facultés paranormales ?

Pour développer toutes ses facultés paranormales, il faut d'abord les connaître et les reconnaître. Pour cela, il y a deux moyens : lire ce livre, et tout particulièrement le dossier, qui vous évitera de redécouvrir des choses connues, tel cet habitant du Caucase qui inventa la bicyclette en 1936; puis éprouver vos propres facultés, éprouver au sens littéral (pour éviter toute ambiguïté, nous emploierons désormais l'expression « tester »).

Problèmes et méthode

Quand vous vous serez découvert médium, voyant, transmigrateur, ou tout cela à la fois, il faudra passer aux exercices proprement dits. En somme, il faut d'abord apprendre le solfège et, quand on sait lire la musique, en jouer.

Donnez de l'attrait à vos exercices pour qu'ils réussissent

Naturellement, pour décourager quelqu'un de faire de la musique, il n'est pas de plus sûr moyen que de séparer rigoureusement le solfège de l'exercice, la théorie de la pratique. *La méthode « compartimentée » est sèche, abstraite et assez ennuyeuse.* De plus, elle impose *a posteriori* une reconstitution ou un plaquage de la théorie sur la pratique, de la connaissance sur l'expérience qui requiert, à lui seul, un nouvel apprentissage. Imaginez que vous ayez lu tout ce qui a été écrit de par le monde sur la transmission de pensée. En serez-vous pour cela plus capable de devenir télépathe ? Ou même, si vous l'êtes déjà, de maîtriser votre don ?

Non, bien sûr.

La division en théorie et pratique est donc non seulement laborieuse et peu efficace, mais aussi artificielle : la musique existait avant le solfège, et les phénomènes paranormaux précédèrent la classification et l'étude scientifique. Il vaut donc mieux associer théorie et pratique. Vous en serez, d'ailleurs, doublement récompensé : d'abord parce que la découverte des facultés *psi* peut devenir un jeu passionnant; ensuite, parce qu'une expérience amusante, qui suscite votre intérêt, a plus de chances de réussir.

L'importance de l'enthousiasme

L'étude des relations entre l'expérimentateur (celui qui organise l'expérience *psi* et en observe les résultats) et le sujet (celui qui produit le phénomène *psi*) révèle l'importance de la motivation qu'est le désir (subjectif) de réussir. D'un sujet qui veut, de toute son âme, obtenir un résultat, on dira qu'il est fortement motivé. Celui qui renâcle, au contraire, est faiblement motivé.

L'étude des relations testé-testeur entraîna d'étranges constatations :

En 1937, les parapsychologues Sharp et Clark notèrent que les changements dans les performances des sujets correspondaient aux modifications de l'attitude des expérimentateurs. Un résultat similaire fut obtenu par McFarland[1] qui se livra à un test révélateur : après avoir sélectionné un groupe quelconque de sujets, il les confia à deux expérimentateurs. Au premier, Mc-Farland prédit qu'il obtiendrait de bons résultats, car ses cobayes étaient doués ; au second, au contraire, on ôta d'avance toutes ses illusions : avec des sujets rebelles à toute forme de phénomène *psi*, il n'avait aucune chance d'obtenir des résultats concluants. Et les résultats confirmèrent les « prédictions » de McFarland.

Deux facteurs principaux furent isolés par la suite : d'une part, l'enthousiasme de l'expérimentateur ; d'autre part, la qualité de la relation entre l'expérimentateur et le groupe testé.

L'une des manifestations les plus courantes de ce phénomène concerne l'effet de déclin, la baisse du nombre d'expériences réussies ; lorsque les tests se prolongent, on constate que le sujet est moins doué, mais c'est, en fait, l'expérimentateur qui se fatigue. On sait, par ailleurs, que l'évolution de tout apprentissage (par exemple, celui d'une langue étrangère) suit d'abord une courbe ascendante rapide (on apprend vite et facilement), puis parvient aisément à la phase de plateau, pendant laquelle l'élève stagne, se déconcentre, piétine, jusqu'à une nouvelle phase ascendante. Vous ne devez donc pas vous décourager si, après une période de succès surprenants, vous parvenez à une période de moindre efficacité. De même, n'hésitez pas à varier les expériences, à les transformer, à les interpréter à votre goût. C'est la suggestion que fit le professeur Rhine* lui-même afin d'éviter l'apparition de la fatigue, cause de moindre motivation[1].

Pas de besoin de preuves

Il est donc de la plus haute importance que vous abordiez l'éducation du *psi* avec une motivation suffisante. Vous la trouverez certainement dans les premiers succès que vous obtiendrez et,

[1] A ce sujet, lire le dossier : « L'influence de l'expérimentateur », page 137.

sur ce point, vous possédez un énorme avantage sur les scientifiques : personne ne vous demande de *prouver* ce que vous ressentez.

Il nous faut toutefois évoquer les changements survenus dans la sensibilité scientifique au cours des quarante dernières années pour comprendre les exigences et les insuffisances actuelles. La revue américaine *Nature*, réputée pour son audience auprès des chercheurs du monde entier, a posé crûment la question : « La science nous prédispose-t-elle à accepter le paranormal ? » Une enquête suivit cet article, qui donna des résultats surprenants puisqu'une majorité de chercheurs répondit négativement à cette première question, mais positivement à une seconde : « Croyez-vous à la réalité des phénomènes paranormaux ? » Ainsi, le monde scientifique apparaissait-il déchiré entre la nécessité de reconnaître l'existence des phénomènes *psi* et l'impossibilité d'en rendre compte par des moyens classiques.

« Vers 1940, il y avait sinon un consensus général sur la réalité des perceptions extra-sensorielles, du moins une opinion largement partagée sur ce que pouvait être une bonne expérience *psi* (…). Entre 1940 et le milieu des années 50, très peu de problèmes parapsychologiques furent abordés hors des revues spécialisées. Beaucoup d'étudiants qui voulaient se consacrer à ces recherches furent découragés par le manque de documents. Au milieu des années 50, les deux grandes revues scientifiques *Nature* et *Science* portèrent de graves attaques contre la parapsychologie : contre la théorie probabiliste (celle de Rhine), par l'intermédiaire de Spencer Brown, puis, sous la plume de George Price, en niant la possibilité même des phénomènes *psi* (…). Dix-sept ans plus tard, dans son *Apology to Rhine and Soal*, Price revint sur ses allégations[1]. »

L'influence du refus du monde scientifique sur le développement des facultés *psi* ne doit pas être sous-estimée, ni servir d'excuse à ce que d'aucuns appellent son « piétinement » actuel. Mais il ne fait pas de doute que les limitations apportées aux crédits de recherches, la véritable « chasse aux sorcières » dont

---

[1] Ch. Honorton, cité dans *New Directions in Parapsychology* (Londres, Elek Science, 1974).

les parapsychologues firent longtemps l'objet, la minceur des archives constituées ou conservées et une situation marginale qui permet aux charlatans et aux escrocs de se faire la part belle dans ce domaine méprisé, tout cela entrava lourdement la recherche appliquée en parapsychologie. C'est pourquoi, durant une très longue période, *les expériences eurent un but unique : fournir la preuve qu'il existe bien des phénomènes paranormaux ou des facultés psi*. Et que ces expériences donnent si souvent l'impression de « déjà vu », de redite : on a envie de secouer les chercheurs et de leur dire : « Mais, bon sang, passons à autre chose ! » Si les physiciens avaient employé leur temps à prouver cinq cent mille fois que les gaz chauffés se dilatent, nulle locomotive ne serait jamais entrée dans une gare. Cette démarche obsessionnelle des scientifiques est compréhensible d'un point de vue occidental, positiviste, moderne. Mais, comme nous l'avons déjà dit, bien des gens utilisaient leurs facultés *psi* avant même qu'on ne les étudie. L'Orient, qui ne subit pas la coupure « corps-âme » de l'Occident, enseigna très tôt des méthodes de développement personnel, de maîtrise de soi, allant jusqu'aux facultés *psi*. La plus connue de ces méthodes est le yoga.

Que nous apprend la tradition indienne ?

« Le yoga et le tentra sont deux disciplines enseignées en Inde depuis des siècles. Elles sont, depuis des temps très anciens, considérées comme des sciences capables de produire des états de conscience grâce auxquels des *siddhis*, ou phénomènes supranormaux, se manifestent. On peut donc dire que la parapsychologie a, de tout temps, été enseignée en Inde. Non seulement la possibilité d'une communication paranormale et de pouvoirs supranaturels était longuement discutée dans presque toutes les écoles de l'Inde ancienne, mais il semble que *certaines de ces facultés étaient enseignées dans les écoles brahmaniques ou bouddhiques*[1]. »

Nous ne connaissons le plus souvent du yoga que sa forme « physique », gymnique, mais ceux qui la pratiquent en tirent

---

[1] Cf. Rao K. Ramakrishna, in *Parapsychology Review*, vol. 7, n° 5. Voir le texte intégral dans le dossier page 140.

déjà des bénéfices considérables sur le plan psychologique : relaxation, maîtrise de soi, augmentation du tonus nerveux et, en ce qui concerne également les facultés *psi*, du pouvoir de concentration. Néanmoins, la tradition indienne poussa son exploration beaucoup plus loin : selon le *Guhyasamajatantra*, le but de l'ascèse est d'obtenir « l'accomplissement des pouvoirs supra-humains de l'esprit, du corps et des organes des sens ». Excellent résumé des buts que se fixe la parapsychologie appliquée. Il est précisé, toutefois, que le néophyte doit être initié aux pratiques tantriques par la bonne « Voie », celle du *gourou* (le Maître). Ce dernier point mérite une explication : pourquoi les Orientaux jugent-ils indispensable l'assistance d'un *gourou* ? Il y a à cela trois explications principales. La première est purement matérielle : étant donné la rareté des documents écrits, l'enseignement (du yoga et du tantra) *était essentiellement oral* ; il fallait donc un maître. La seconde porte sur le fond : les Indiens *ayant du supranormal une conception spiritualiste*, ils considèrent le yoga non pas simplement comme une technique que l'on pourrait apprendre dans les livres, *mais comme une « sagesse » qu'on ne peut transmettre que par un contact personnel ; enfin, au stade de l'initiation, le yoga requiert des exercices parfois périlleux : le gourou tient alors le rôle d'assistant médical.*

Rassurez-vous : il y a peu de facultés *psi* ou d'expériences paranormales dont l'exécution présente de tels dangers. Le Dr Nicole Gibrat nous a d'ailleurs accordé une interview — qui figure dans le dossier — concernant les risques auxquels s'exposent les expérimentateurs. Comme vous pourrez le constater, ces risques sont minimes à condition d'observer certaines précautions.

Collaboration ou travail individuel ?

Nous reviendrons plus longuement sur le yoga dans le chapitre consacré aux méthodes traditionnelles. Mais notons immédiatement deux choses :

— La tradition indienne avait perçu le rôle fondamental de la relation dans le développement des facultés *psi*. Cela plaide donc plutôt en faveur d'une éducation dirigée.

— Yoga et tantra sont des disciplines du développement personnel, même si elles conduisent finalement à l'harmonie et à la fusion dans le Grand Tout.

Cela, en revanche, permet d'espérer des résultats positifs d'une éducation individuelle. D'autant que les facultés paranormales sont, par nature, subjectives, ce qui n'est pas le cas de toutes les manifestations paranormales (telles que l'action sur la matière, des psychocinèses* involontaires aux fameux « poltergeist » ou « esprits frappeurs »).

L'œuf de Christophe Colomb

Réfléchissons maintenant à un problème pratique : vaut-il mieux travailler seul ses facultés *psi*, ou bien avec une tierce personne, voire un groupe ?

Admettons que vous essayiez de communiquer par la télépathie* : il vous faut un interlocuteur, émetteur ou récepteur. Après vous être placés chacun de part et d'autre d'une table, après avoir disposé au milieu de celle-ci un écran (une feuille de carton, par exemple), vous vous distribuerez les rôles : l'un d'entre vous se concentrera sur le message à transmettre (une carte à jouer, par exemple, prise dans un paquet posé devant vous et donc dissimulée à la vue de votre partenaire). Si la chance vous sourit, celui-ci devinera une carte sur vingt ou trente : ce qui n'aura rien prouvé du tout, et vous serez déçu ; vous aurez tort.

La procédure que vous avez employée suppose *deux* sujets doués : vous et l'autre. Elle suppose également que vous mobilisiez tous deux, et avec succès, vos facultés *psi* au même instant et, bien sûr, dans le sens favorable à la transmission du message. On comprend aisément qu'un tel ensemble de conditions optimales ne se trouve presque jamais réuni, car :

1) Les deux télépathes peuvent être inégalement prédisposés. Si le plus puissant émetteur du monde s'adresse à un mauvais récepteur, voire à un non-récepteur, il s'épuisera en vains efforts.

2) Les deux télépathes, même doués, peuvent ne pas être en forme au bon moment. L'un émettra avec succès, sans que l'autre parvienne à recevoir son message.

3) Les facultés *psi* peuvent se manifester chez deux sujets de façon contradictoire. Les deux sujets se neutralisent.

Il y a encore une bonne douzaine d'autres raisons pour qu'une expérience aussi maladroitement — ou prématurément — conçue échoue, même si le message a été envoyé correctement.

Et il a fallu de nombreux échecs avant que les parapsychologues comprennent qu'en mettant en présence deux individus présentant, séparément, des dons indéniables, ils multipliaient par deux les chances — ou plutôt les malchances — de voir leur tentative échouer. Quand on ne peut surmonter une difficulté, il faut la tourner. C'est ce que firent les parapsychologues : en bons cartésiens, ils divisèrent le problème et obtinrent une procédure fiable.

Dans une expérience de télépathie comme celle que nous venons de rapporter, de quoi s'agit-il ? De transmettre sa propre perception d'un objet matériel sans qu'interviennent les organes habituellement mobilisés pour cette tâche. Mais, en fait, nous n'avons aucune preuve qu'il s'agit bien là d'une transmission de cerveau à cerveau. Peut-être le percipient* lit-il directement, à travers l'écran de carton, la carte disposée devant lui ? Disons, plus simplement, que la télépathie supposée n'est peut-être qu'une forme de clairvoyance. Par conséquent, il vaut mieux réaliser une double expérience de clairvoyance plutôt qu'une simple expérience de télépathie : nos difficultés 1), 2) et 3) sont alors levées.

C'était aussi simple que l'œuf de Christophe Colomb, mais bien des recherches se sont embourbées dans des difficultés sans nom, faute d'une procédure simplifiée.

L'avantage de la collaboration

Ne croyez pas cependant que les expériences ou exercices individuels soient une panacée : s'il est vrai que, dans un certain nombre de cas, ils simplifient le travail (ne serait-ce qu'en dispensant de chercher un collaborateur), plusieurs raisons plaident en faveur de la recherche collective.

On peut considérer comme acquise *la « dominance » de certains sujets* au cours d'une expérience à participants multiples.

Mais cela ne signifie pas que les autres aient un rôle négligeable : en réalité, les plus doués exercent une influence sur les résultats obtenus par les moins doués, à la fois en précipitant l'apparition des phénomènes *psi* et en leur donnant une force, une intensité supplémentaires. Mais les participants ne sont pas seuls à agir positivement : les observateurs, et surtout l'expérimentateur lui-même, interviennent concurremment, par motivation interposée. Les parapsychologues doivent s'accoutumer à cette idée : d'une manière générale, ils sont plus motivés que les sujets de leurs expériences. Certains pour des raisons philosophiques (parce qu'ils veulent démontrer quelque chose); d'autres, parce qu'ils souhaiteraient faire l'expérience eux-mêmes. Ainsi, même un observateur «passif» agit ou peut agir sur les résultats d'une expérience parapsychologique. Il en sera de même quand vous testerez vos propres aptitudes avec l'aide ou la participation d'un tiers.

Cette observation sur le rôle de la motivation collective dans l'apparition des phénomènes *psi* chez les individus a conduit les parapsychologues à modifier leur attitude envers les «spirites»; si les tables tournantes de nos grand-mères suscitent l'ironie des esprits forts, nos grand-mères spirites, elles, n'en constituent pas moins, si je puis me permettre cette expression, d'excellents cobayes pour les tests parapsychologiques : elles et les tenants du spiritisme étaient en effet extrêmement motivés (voir à ce sujet le texte figurant au dossier sous le titre : «La collaboration entre spiritualistes et scientifiques»).

La motivation individuelle a également permis d'émettre une hypothèse concernant l'un des «chevaux de bataille» des «chèvres»* qui ricanaient en remarquant qu'une expérience réussissait souvent lorsque l'expérimentateur prenait la place du sujet et «s'autotestait», mais qu'elle échouait quand un tiers s'y soumettait à son tour. En fait, et c'est un point sur lequel j'attire votre attention, *il semble que les expérimentateurs mettent au point les expériences ou les tests qui leur réussissent le mieux.*

Cela ne signifie pas, bien évidemment, que toute expérience «importée» échoue. Sinon, chaque parapsychologue devrait réinventer toute la parapsychologie. Non. Mais dans l'éventail des nombreuses techniques existantes, il en est qui s'adaptent plus facilement aux possibilités, aux capacités, aux aptitudes de chacun. Les Orientaux nomment cela la « voie ». Chacun, en parapsychologie, a sa « voie » personnelle. Il ne faut donc pas hésiter à modifier une expérience dans le sens qui paraît le plus favorable. Et, pour reprendre notre exemple du début, celui de la communication télépathique, en choisissant qui le travail associé, qui l'exploration solitaire.

Si vous voulez acquérir la certitude qu'un phénomène *psi* aux conséquences matérielles se produit, ou qu'il ne se produit pas, la présence d'un observateur est requise. Car si la motivation est quasi indispensable à la réussite, elle est également un puissant hallucinogène, une source d'illusions. D'autant que beaucoup de phénomènes *psi* nécessitent une intense concentration qui entraîne une baisse de l'attention, de la vigilance globales. Sans parler de la dilatation du temps psychologique : on croit qu'une minute à peine s'est écoulée quand il faudrait en compter soixante. Le tiers, discret mais présent, peut vous rappeler à l'ordre dans les limites que vous lui aurez fixées.

L'application de la théorie de l'apprentissage

Il vaut toujours mieux envisager les solutions les plus simples avant de passer aux plus complexes. Il serait absurde d'inventer de nouvelles méthodes de développement des facultés *psi* si les procédés utilisés à d'autres fins peuvent leur être appliqués. Bien que cette démarche paraisse évidente — et peut-être parce qu'elle est évidente —, il fallut attendre les années 30 pour qu'un psychologue orthodoxe s'aventure, armé de ses outils pédagogiques, dans le paranormal.

Nul n'ignore que la psychologie et la physiologie modernes sont nées des travaux de Pavlov* sur le réflexe conditionné. Or

« le conditionnement a souvent été considéré comme le prototype de l'apprentissage élémentaire chez l'animal et chez l'homme ». La liaison créée dans les structures du cerveau entre l'événement conditionneur (la pâtée appétissante) et l'événement inconditionné (la salivation) par l'intermédiaire de la sonnette produit un nouveau conditionnement (sonnette = salivation).

Nous n'entrerons pas dans le détail de l'explication neurologique (du grec *neuros*, nerf) donnée à ce mécanisme, chaque psychologue ayant la sienne, ou à peu près. Bornons-nous à constater que, si l'on admet que les facultés *psi* sont liées, elles aussi, à la matière cérébrale, il n'y a *a priori* pas de raison pour qu'elles échappent aux lois du conditionnement.

Choisir un bon exemple

Il est toujours possible d'établir un lien — aussi ténu soit-il — entre un événement et la prémonition qui l'a annoncé (La physique moderne pose d'ailleurs qu'il y a interconnexion entre tous les faits de l'Univers).

C'est la raison pour laquelle les parapsychologues s'efforcèrent très tôt de « produire du hasard pur ».

Or, dès que l'on avait commencé l'étude mathématique du hasard (au XVIIe et XVIIIe siècles) on s'était aperçu que beaucoup de faits prétendument aléatoires étaient en réalité gouvernés par des lois : à l'échelle humaine, le monde est d'une formidable régularité. D'où la nécessité de choisir un bon exemple. Et un deuxième impératif : le choisir assez simple pour qu'il puisse être observé, manipulé, contrôlé. Si nous tâchions de prévoir un événement trop complexe ou trop éloigné, nous ne pourrions vérifier l'exactitude de la prévision : un jour de malchance, le terrible pirate Black Beard fut capturé par ses plus farouches ennemis ; le capitaine du navire lui proposa alors de lui rendre la liberté, à condition qu'il donne immédiatement le nombre exact de sabords du navire. Sans hésiter, Black Beard répondit : « Quatre-vingt-huit ! »... et fut relâché, aucun des pirates ne sachant compter au-delà de vingt !

Troisième impératif : que le test soit motivant. La chance que j'ai de retrouver un haricot blanc parmi un tas de douze mille six cent trente-deux haricots noirs est tellement faible que je devrais réitérer mon essai un mois entier avant d'obtenir un résultat positif... qu'il me faudra reproduire des milliers de fois pour qu'il ait un sens !

Pour créer la motivation, il y a deux moyens psychologiques : le premier consiste à «récompenser» les bonnes réponses ou à sanctionner les mauvaises ; le second consiste à faire jouer le sujet contre lui-même en lui communiquant constamment les résultats qu'il a obtenus.

Les cartes de Zener : peu motivant

Une expérience classique consiste à faire deviner par un sujet A laquelle de cinq cartes a été tirée par un sujet B.

Ces cartes portent des dessins que voici :

Ce sont les cartes de Zener. Elles portent des signes qui n'ont rien de symbolique ou de cabbalistique, mais présentent l'avantage d'être extrêmement distincts les uns des autres. Quelquefois, on leur donne diverses couleurs pour les différencier plus encore (et parce que la couleur est souvent perçue isolément) : bleu, vert, jaune, rouge, noir.

Ces cartes ont eu un grand intérêt historique, puisqu'elles permirent d'établir statistiquement l'existence des phénomènes *psi*, mais deviner si l'autre a tiré une croix ou un cercle n'a rien de très excitant. De plus, celui qui devine les cartes, le sujet de l'expérience, doit inscrire ses réponses sur une feuille de papier posée à côté de lui. Les résultats ne lui sont communiqués qu'à la fin de la série d'essais.

Il est très facile de faire une critique psychologique — seulement psychologique — de cette procédure. Le phénomène d'apprentissage est en effet l'un des mieux connus des psychologues (on entend par apprentissage non seulement l'acquisition d'une aptitude manuelle ou corporelle, mais tout processus psychique qui permet de reproduire une conduite : le conditionnement est une forme d'apprentissage[1]).

Tout d'abord, le travail du sujet « à l'aveugle », c'est-à-dire sans connaître les résultats, le fait progresser, en quelque sorte, au hasard. Bien sûr, l'expérimentateur introduit ce hasard pour empêcher toute fraude. Mais il neutralise en même temps l'un des effets les plus importants de l'apprentissage, le *renforcement*. Disons, pour parler plus simplement, le bénéfice de la correction. Lorsque j'apprends une langue étrangère grâce à un texte enregistré sur une bande magnétique, je peux comparer ma prononciation à celle du professeur. Je peux me rapprocher, peu à peu, du modèle qui m'est proposé. Matériellement, cela signifie que ma voix tend à se conformer à des sons « idéaux ». Psychologiquement, je tire une satisfaction des progrès que j'accomplis : je suis renforcé dans mon effort qui se révèle efficace, et encouragé dans ma volonté d'apprendre. Par contre, si j'apprends dans un livre et qu'on me plonge brutalement dans le milieu étranger, je vais être surpris par la prononciation réelle, je vais être déçu parce que tous mes efforts n'ont pas suffi à me donner l'« oreille » indispensable.

Revenons maintenant aux cartes de Zener. Admettons que j'entame une série de vingt-cinq cartes en tâchant de deviner quels signes elles portent. Sans doute ferai-je de mauvaises réponses, sans doute en ferai-je aussi de bonnes. Mais, les résultats ne m'étant communiqués qu'à la fin, je n'en saurai rien. Les résultats m'apparaîtront globalement, sous la forme abstraite d'une probabilité statistique[2]. Je serai donc faiblement motivé.

---

[1] Définition de Gérard de Montpellier dans le *Traité de psychologie expérimentale* (P.U.F., 1968). « L'apprentissage consiste dans l'établissement d'une chaîne de connexions entre excitant-signaux ainsi repérés et patterns de mouvement, sous la seule condition de contiguïté entre les deux genres d'événements. »

[2] Voir à ce propos, dans notre dossier, l'opinion de Thouless sur la manière dont doivent être communiqués au sujet les résultats de l'expérience : « La mesure de l'efficacité lors des expériences *psi* », page 157.

Les parapsychologues, pour dominer cette difficulté, ont songé à communiquer immédiatement les résultats, carte après carte. Mais ils se sont heurtés à des problèmes pratiques. Par exemple, il fallait que la réponse paraisse assez vite. Toutefois, l'expérimentateur devait, de son côté, avoir le temps de comparer la carte proposée à la réponse du sujet. Il fallait également que le signal « bon » ou « mauvais » soit assez discret pour ne pas perturber les efforts de concentration du sujet. Il fallait enfin, et là résidait la plus grande difficulté, que les « bonnes » réponses soient vraiment bonnes, c'est-à-dire dues à une vraie perception extra-sensorielle et pas seulement à la chance. Auquel cas on avait renforcé le hasard « pur » : du vide. Ce dernier « piège » était particulièrement difficile à éviter, compte tenu de la complexité du phénomène étudié. En effet, sauf chez les sujets très doués (qui n'ont pas besoin de renforcement, d'encouragement), toute perception extra-sensorielle s'accompagne de « parasites », d'un bruit de fond causé non seulement par l'environnement, mais par les données spécifiques de l'expérience. Ainsi, lorsque l'on tire les cartes de Zener, on a tendance à ne pas « voir » se succéder deux mêmes cartes. Un sujet moyen, aussi résolu soit-il à fournir des réponses spontanées, ne peut s'empêcher de faire intervenir, consciemment ou inconsciemment, des facteurs étrangers à l'expérience. Or le renforcement souhaité par les parapsychologues, et provoqué par eux afin que les résultats s'améliorent, risque d'agir non pas sur le « signal » attendu, mais sur les parasites. Il est donc particulièrement délicat de renforcer une réponse à un test de Zener[1].

Les machines à apprendre

Les parapsychologues ont donc inventé des machines destinées à neutraliser les éléments perturbateurs, tant extérieurs (environnement) qu'intérieurs (psychisme).

---

[1] On a apparemment négligé, jusqu'ici, le contenu même des signaux portés sur les cartes de Zener considérant qu'ils avaient été choisis de la manière la plus arbitraire et la plus neutre possible. Mais dans la réalité, une croix et un cercle sont perçus de manières différentes selon qu'on se réfère à tel ou tel contexte culturel où les signaux de ce genre abondent ou font défaut.

— *La machine de Tyrell* : C'est la plus simple (toujours exception faite du générateur de hasard) et probablement la plus efficace. Les cartes de Zener sont remplacées par des ampoules (cinq) enfermées dans une boîte. Le sujet doit deviner quelle ampoule est allumée, l'allumage étant commandé électroniquement (système Schmidt). Dès que la réponse est donnée, la boîte s'ouvre. Le mécanisme, silencieux, fournit un renforcement immédiat (lampe désignée allumée ou non); il évite les interférences avec l'expérimentateur et limite les possibilités de tricheries. L'allumage des lampes est provoqué par le générateur de hasard[1]. Mais il n'est pas impossible que le sujet agisse directement sur ce dernier dispositif, par psychocinèse, comme l'ont suggéré certains chercheurs[2].

— *La machine d'Haraldsson* combine un signal auditif au renforcement lumineux. Les stimuli visuels restent déterminants, mais on constate une amélioration sensible (de l'ordre de quelques pour cent) des résultats obtenus.

— *Le dispositif de Brugmans*. Il ne fait pas appel à l'électronique et chacun peut en bricoler un avec un minimum de matériel. Brugmans s'est attaché à perfectionner les procédures de télépathie directrice où le sujet doit, par exemple, trouver l'issue d'un labyrinthe dont il ne voit pas les couloirs. Dans l'expérience classique, l'expérimentateur se concentre sur le tracé (qu'il voit, lui) en essayant de transmettre mentalement des informations au sujet. Celui-ci, d'étape en étape, doit choisir entre diverses possibilités : continuer dans la même direction, tourner à droite, à gauche, revenir en arrière. Mais l'expérimentateur ne voit pas le cheminement choisi par le sujet, qui, de son côté, ignore s'il se dirige vers le but ou s'il s'en éloigne. Brugmans place le sujet derrière une vitre dépolie (mais un simple cache en carton fait l'affaire), ce qui permet à l'expérimentateur de suivre les mouvements de son vis-à-vis. Il peut donc renforcer mentalement les intuitions du sujet allant vers une bonne direction, et le décourager lorsqu'il fait fausse route.

[1] Voir ci-après, note, page 41.
[2] Cf. W.G. Brand : «Psychokinetic Influence on Random Number», in *Research in Parapsychology* (1975).

— *Le cornet à dés automatique*. Dans l'expérience classique, le sujet lance les dés après s'être concentré mentalement sur un résultat (par exemple : 4, 2, 1). L'expérimentateur a pu lui communiquer ce chiffre cible, ou bien, dans une expérience double, s'être concentré pour le lui transmettre télépathiquement. L'expérimentateur recueille également les résultats. Ainsi, le cornet à dés automatique supprime les manipulations gênantes pour le sujet en train de se concentrer, tout en lui permettant d'évaluer concrètement et immédiatement l'efficacité de son effort.

L'intervention de dispositifs mécaniques dans la recherche parapsychologique a eu trois conséquences principales. Tout d'abord, elle a ôté aux « chèvres » (les contempteurs systématiques de la parapsychologie) l'un de leurs motifs d'exaspération favori : impossible de soupçonner une machine de complicité ou de faiblesse à l'égard du sujet *psi* observé ; elle a permis ensuite de recueillir une quantité d'informations qui eussent échappé à l'observateur le plus attentif et le plus scrupuleux. Lors des expériences de McConnell[1], conduites avec le « cornet à dés » et des cages semblables à celles qu'on utilise pour les loteries, une caméra filme la course des boules numérotées que le sujet, *placé dans une pièce voisine*, s'efforce d'influencer.

Enfin et surtout, le sujet de l'expérience est délivré par la machine de préoccupations parasites, de longs moments d'attente (lorsque, par exemple, les informations recueillies sont traitées par un ordinateur, analysées et restituées en une fraction de seconde) et, d'une manière générale, de tout ce qui encombrait auparavant sa tâche.

On peut estimer aujourd'hui que la recherche parapsychologique dépend pour une large part — tout au moins dans le domaine expérimental, la psychologie classique abordant le problème d'une manière tout à fait différente — de l'état et du progrès de quelques dispositifs mécaniques, électroniques d'enregistrement, d'analyse et de traitement. L'heure du bricolage est passée... Et la lutte engagée contre le hasard en fournit une écla-

---

[1] R.A. McConnel : « Wishing with Dice », in *Journal of Experimental Psychology*, 50, p. 269-275 ; et McConnel : « Remote Night Test for PK », in *Journal of American Social Psychology Research*, 49, p. 99-108.

tante illustration. Nous avons évoqué, plus haut, le générateur de hasard. C'est un élément essentiel du laboratoire de parapsychologie. L'un des modèles les plus fréquemment utilisés[1] est un calculateur énumérant des séries de cinq chiffres à la vitesse d'un million de « bits » par seconde. Le hasard est alors obtenu en arrêtant l'énumération à un moment quelconque. D'autres générateurs[2] utilisent une coupure mécanique.

La source naturelle la plus riche en « hasards » nous est fournie par les phénomènes quantiques. « Considérons, écrit Helmut Schmidt[3], le déclin de l'activité radioactive d'un noyau de strontium-90. Ce noyau est instable, il peut décliner à n'importe quel moment, mais sa durée de vie est en moyenne de 90 ans, soit à peu près celle d'un être humain. Contrairement aux êtres humains, cependant, le noyau ne « vieillit » pas. A quelque moment que nous l'observions, il semble identique à lui-même et aucune cause mécanique ne semble déclencher le processus de déclin. Ce moment semble relever purement et simplement de la « chance ». La physique nucléaire a certainement accompli l'un de ses pas les plus audacieux en affirmant la possibilité d'un pur hasard (opposé à la stricte causalité de la physique classique) comme l'un des éléments des lois naturelles. »

Dès que les parapsychologues ont eut vent de cette brèche ouverte dans les lois causales, ils se sont demandé si un sujet *psi* pourrait prévoir des événements (tels que le déclin du noyau de strontium-90) auxquels aucune théorie, aucune équation, aucune mesure ne permet de fixer une date, même approximative.

Voici une expérience, due toujours à Schmidt et s'insinuant dans la fissure ouverte dans l'édifice du déterminisme causal : « Un tube de Geiger est monté près d'une petite masse de strontium-90. Il enregistre les arrivées régulières d'électrons émis par le corps radioactif. Les émissions d'électrons servent à bloquer le fonctionnement d'un compteur égrenant des séries de 1 à 4 (1,

---

[1] Fischer et Hubner, 1970.
[2] Tart, 1966.
[3] H. Schmidt : « Instrumentation in the Parapsychological Laboratory », in *New Directions in Parapsychology* (Londres, Elek Science, 1974).

2, 3, 4). Durant l'expérience, le sujet est assis en face d'un panneau portant quatre lampes colorées, quatre interrupteurs et deux mémoires électroniques. Avant qu'aucun des interrupteurs soit poussé, les lampes sont éteintes et le compteur débite des séries de 1 à 4. Quand un des boutons est pressé, la course des électrons vers le tube de Geiger est stoppée et la position d'arrêt du compteur est communiquée au sujet par l'intermédiaire de l'ampoule correspondante. Le sujet doit alors prédire la position suivante — toujours en pressant le bouton correspondant. L'ensemble des «questions» et des «réponses» est enregistré sur une bande de papier[1]. » Ce dispositif sophistiqué a permis de mettre en évidence des cas indubitables de précognition.

Nous ne voudrions pas décourager les parapsychologues débutants en accumulant les exemples de machines électroniques couplées à des compteurs Geiger ou à des ordinateurs, bien que du bon matériel électronique soit disponible sur le marché et à un prix abordable. L'observation des phénomènes *psi*, condition primordiale pour toute pédagogie et pour tout entraînement, peut être menée à partir de presque rien : E. Cox, en 1970, étudia l'influence des sujets *psi* sur la conductivité de solutions salées, simplement avec de l'eau, du sel et une source électrique banale (une batterie d'automobile). On peut également «jouer» à prévoir toutes sortes d'incidents provoqués dans un circuit électrique, comme la fermeture ou l'ouverture d'un relais commandé par une girouette, ou bien le moment où une casserole d'eau se met à bouillir, etc. Les difficultés naissent plutôt de l'exploitation des résultats qui n'acquièrent une signification qu'à la suite d'un grand nombre d'essais effectués dans des conditions strictement identiques, après avoir pris un ensemble de précautions rigoureuses[2]. Les parapsychologues sont des expérimentateurs exigeants...

---

[1] H. Schmidt : « Instrumentation in the Parapsychological Laboratory », *op. cit.*
[2] Dans les chapitres suivants, nous serons amenés à examiner d'autres dispositifs, entre autres l'électro-encéphalogramme. Nous nous sommes borné ici à évoquer les appareils uniquement conçus dans le but d'étudier les phénomènes *psi*.

Dans une étude célèbre, Leonard Thompson Troland écrivait : « La conscience et la pensée d'un sujet ne nous sont accessibles que par le sujet lui-même, et sa capacité à observer ou à traduire leurs contenus n'est pas beaucoup plus grande dans un laboratoire qu'ailleurs[1]. » Cette affirmation semble en contradiction avec les efforts déployés dans les laboratoires pour circonvenir les manifestations paranormales du psychisme à l'aide d'appareils coûteux. En réalité, elle nous éclaire sur une démarche dont les buts sont finalement les mêmes, mais qui utilise pour les atteindre des voies différentes. A la question que nous posions au début de ce chapitre : « Peut-on apprendre à utiliser les facultés *psi* ? » les parapsychologues expérimentaux ont répondu : « Oui ». Ils sont en effet parvenus à produire des phénomènes paranormaux plus fréquemment et plus rigoureusement qu'auparavant. Mais, parce qu'ils étudient les facultés *psi* de l'extérieur et dans leur cadre naturel (la tête du sujet), le *développement* des facultés *psi* ne les préoccupe qu'indirectement : comme une meilleure façon de saisir un phénomène et, ultérieurement, de le comprendre. Voyez les travaux du professeur Tart[2] qui fait autorité en la matière. Il a défini un certain nombre de conditions pour sélectionner de bons sujets *psi* et pour conduire des expériences probantes. Ces conditions sont au nombre de cinq :

— Définir avec précision le but de l'expérience.
— Distribuer, varier et répéter les exercices.
— Communiquer les résultats.
— Maintenir l'exercice au-delà de la limite de « motivation » ou de fatigue du sujet.
— Renforcer les bons résultats par une récompense (qui peut être un chèque, ou de vives félicitations…). Ces consignes sont très précieuses dans un laboratoire, surtout dans un laboratoire où travaillent de nombreux assistants salariés, pas nécessairement motivés, et des cobayes quelquefois tout aussi indifférents.

[1] L.T. Troland : *A Technique for the experimental Study of Telepathy and other alleged Clairvoyance Processes* (Harvard, 1932).
[2] Ch. Tart et T.G. Redington : *A serial Selection Procedure for finding talented ESP Subjects.*

Si, par contre, vous vous intéressez personnellement à la parapsychologie, si vous souhaitez développer certaines potentialités, vous n'aurez pas besoin que l'on vous donne de tels conseils.

C'est la raison pour laquelle, à côté des recherches expérimentales, il existe une parapsychologie introspective[1] qui donne souvent de meilleurs résultats que les études menées en laboratoire.

---

[1] *Introspectif* : qui examine l'intérieur. La science expérimentale étudie ce qui paraît (les phénomènes), l'introspection étudie les faits psychiques subjectifs, incommunicables.

La voie royale :
la concentration

Le développement des facultés paranormales a été bloqué en Occident par le succès du mode de raisonnement et des techniques d'action rationnels. Il n'en a pas été ainsi en Orient, en particulier dans ce réservoir d'expériences spirituelles que fut et que demeure l'Inde.

L'analyse des états de conscience

Une grande partie de notre vie mentale est sortie de l'ombre durant ces cinquante dernières années. Or, la tradition indienne connaissait ces catégories bien avant que le premier psychologue fasse son apparition dans les contrées sauvages de l'Occident. Au point de fixer comme but au yogi « de supprimer la conscience normale au profit d'une conscience qualitativement autre, qui puisse comprendre exhaustivement la vérité métaphysique ». L'un des maîtres fondateurs de la doctrine, Patanjali, professait explicitement la « suppression des états de conscience ». Ce terme de conscience ne doit pas s'entendre comme l'équivalent de l'état de « veille ». Il implique, en fait, tous les états qui agitent une conscience normale, profane, non illuminée. « Ces états de conscience sont en nombre illimité. Mais ils entrent tous dans trois catégories correspondant respectivement à trois possibilités d'expérience : 1) Les erreurs et les illusions (rêves, hallucinations, erreurs de perception, confusions, etc.). 2) La totalité des expériences psychologiques normales (tout ce que sent, perçoit ou pense le profane, celui qui ne pratique pas le yoga). 3) Les expériences parapsychologiques déclenchées par la technique yogique et accessibles, bien sûr, aux seuls initiés[1]. » On voit que la conscience du yogi excède de beaucoup le champ de la conscience occidentale. On rendrait mieux compte d'un aussi large éventail en parlant de « faits mentaux » ou de réalité psychique. Peu importe d'ailleurs, puisque le yogi place tous ces phénomènes sur le plan de la matière, et d'une matière à laquelle il doit s'efforcer d'échapper par l'ascèse.

Les « pouvoirs » sont nécessaires mais pas suffisants

« Le but du yoga de Patanjali est d'abolir les deux premières catégories d'expériences et de les remplacer par une « expérience » enstatique (c'est-à-dire intérieure, tournée vers soi) suprasensorielle et extrarationnelle. » Le yoga ne considère pas l'obtention de pouvoirs paranormaux comme un but en soi, car le paranormal appartient au monde réel, à ce plan trivial et asservissant qu'il faut fuir. Cependant, le yogi qui est sur le chemin de la délivrance est tenté d'utiliser ses facultés paranormales à des fins bassement terrestres. « Et ceci posait au Bouddha (comme, plus tard, à Patanjali) un nouveau problème : car, d'une part, les « pouvoirs » sont inévitablement acquis au cours de l'initiation et constituent, pour cette raison même, des indications précieuses sur le progrès spirituel du moine ; mais,

---

[1] Toutes les citations suivantes sont extraites, sauf mention, de : *le Yoga, immortalité et liberté,* de Mircea Eliade (Paris, Payot, 1975).

d'autre part, ils sont doublement dangereux, puisqu'ils tentent le moine avec une vaine « maîtrise magique du monde » et risquent en outre de créer des confusions chez les infidèles. » Confusions que certains exploiteurs du yoga ont maintenues à plaisir, promettant monts et merveilles à leurs disciples. La seule manière d'éviter ce « déviationnisme yogique » consista à occulter l'enseignement, à transmettre le savoir de maître à élève, dans le secret de la retraite. Ce qui complique singulièrement la tâche des observateurs.

Les classifications forment un « escalier mental »

Outre les multiples dissimulations, périphrases, paraboles et omissions grâce auxquelles les Sages s'efforcèrent de maintenir leur savoir secret, l'appareil des catégories psychiques dénombrées complique encore la compréhension du yoga. La taxonomie — ou classification — des états mentaux est à la pensée indienne traditionnelle ce que l'analyse est à la pensée occidentale. Et comme il y a autant de classifications que d'écoles et presque autant d'écoles qu'il y a de yogis, la terminologie n'est pas le moindre obstacle à la compréhension. Mais le classement des états mentaux remplit une fonction précise : la hiérarchie permet au maître de mesurer les progrès de son élève (par comparaison avec une échelle elle-même très complexe) et à l'élève de s'orienter vers une phase « supérieure ». Le yogi gravit ainsi, marche après marche, une sorte d'« escalier mental ». Il évite de cette manière les retours en arrière que l'on observe dans la recherche scientifique lorsqu'une explication-hypothèse ne vient pas encadrer les investigations, ce sentiment de « tourner en rond » qui est familier, entre autres, aux parapsychologues. D'un point de vue psychologique, le fait d'être parvenu à un certain niveau de connaissance permet au yogi non seulement d'échapper à certaines contraintes (par exemple aux « illusions du sommeil » que sont les rêves), mais de « purifier » ou d'« unifier » son esprit. Il est ainsi mieux à même d'aborder la phase supérieure. Un athlète qui prépare le concours du saut en hauteur ne prend pas la peine, à chaque séance d'entraînement, de vérifier s'il est capable de franchir cinquante centimètres, puis soixante, puis un mètre : il met immédiatement la barre au niveau de sa performance actuelle. Il économise ainsi les forces nécessaires à une performance supérieure : c'est le rôle de la minutieuse classification yogique.

Les techniques du yoga

Ni connaissance purement spirituelle ni développement purement physique, c'est ainsi que se présente le yoga dans son accomplissement. « On ne peut rien acquérir sans agir et sans pratiquer l'ascèse : c'est là un leitmotiv de la littérature yogique. » Mais l'action ne doit pas être confondue avec l'agitation ni résulter du désir humain de satisfaction des appétits et des ambitions, mais du désir — calme — de sortir de l'« humain ». Ce que nous appellerions les « intentions » du yogi sont donc très liées à la réussite ou à l'échec de sa quête. Et l'on ne peut pas ne pas penser au rôle de la motivation que nous évoquions dans un chapitre précédent. En fait, si le yogi insuffisamment développé sur le plan spirituel interprète mal les phénomènes qu'il produit, il ne pourra jamais accéder à la phase ultérieure : il s'arrêtera au milieu de l'escalier. La faculté d'observation et d'interprétation est indispensable au yogi comme au chercheur scientifique, et pour des raisons assez voisines : c'est grâce à elle que tous deux distinguent, sous la pluralité et la diversité des phénomènes, la loi qui les unifie. Le yoga « physique » et son corollaire « spirituel » ne peuvent donc pas être distingués — et *a fortiori* opposés —, pas plus que la vérification expérimentale, matérielle, n'est indépendante de la théorie scientifique. C'est un point qu'il convenait de préciser avant d'aborder les techniques, dans le sens bien particulier que donne à ce mot le yoga.

La concentration « focalisée »

La plupart du temps, nos activités mentales sont diffuses, complexes, embrouillées. L'homme moderne — et, s'il faut en croire le yoga, l'homme de toujours — est assailli par le monde extérieur, traversé d'émotions, de sensations, envahi par les désirs et les frustrations. Bref, il est dépendant et comme dissous dans la réalité.

La première tâche du yogi consiste à échapper à ce tourbillon. Comment ? Par la concentration. «*L'ekagrata*, la concentration en un seul point, a pour résultat immédiat la censure prompte et lucide de toutes les distractions et de tous les automatismes mentaux qui dominent et qui, à vrai dire, font la conscience profane. Abandonné au gré des associations, l'homme passe sa journée en se laissant envahir par une infinité de moments disparates et comme extérieurs à lui-même. Les sens ou le subconscient introduisent continuellement dans la conscience des objets qui la dominent et la modifient suivant leur forme et leur intensité. Les associations dispersent la conscience, les passions la violentent, la «soif de vie» la trahit en la projetant au-dehors.»

L'Occidental est particulièrement soumis à ces influences perturbatrices non seulement parce qu'il les subit, mais parce que sa volonté est d'agir sur le monde extérieur. Il est sciemment tourné vers lui. D'où la difficulté qu'éprouve la plupart d'entre nous à se concentrer : c'est une véritable rupture que nous devons effectuer avec nos habitudes, nos motivations, nos valeurs. Même ceux qui parviennent à se concentrer un moment sans éprouver des fourmis dans les jambes, ou le poids insupportable du silence, se concentrent *sur* quelque chose et non *en* quelque chose. C'est leur attention qui se concentre et non eux-mêmes. En somme, ils donnent une direction au flot qui les submerge, mais les vagues sont toujours là, bien que sous une forme plus calme. Par contre, «un yogi peut obtenir à son gré la discontinuité de la conscience ; autrement dit, il peut provoquer à n'importe quel moment et n'importe où la concentration de son attention en un seul point *et devenir insensible à tout autre stimulus sensoriel ou mnémonique*» (souligné par nous). C'est très exactement le contraire, ou le négatif, des techniques de «rêve éveillé dirigé[1]» grâce auxquelles nous accédons aux sources vives de l'imaginaire, à la féerie inconsciente.

[1] Voir ci-après, page 68.

Pour parvenir à la concentration focalisée, plusieurs conditions doivent être remplies :

1) Obtenir le « refrènement » (action morale) : la conscience morale doit être débarrassée du sentiment du péché, de la « mauvaise conscience ».

2) Observer les disciplines (action morale et physique) : grossièrement, maîtriser sa volonté et s'astreindre à une hygiène complète.

3) Pratiquer les positions ou *asanas* et contrôler sa respiration.

4) Maîtriser ses relations sensorielles.

5) Pratiquer la méditation yogique.

Les pouvoirs merveilleux du souffle

La plus importante de ces techniques (si l'on peut employer ce terme à propos des refrènements moraux) et la plus spécifiquement yogique est le contrôle de la respiration : « Toutes les fonctions des organes étant précédées par celle de la respiration — une liaison existant toujours entre la respiration et la conscience dans leurs fonctions respectives —, la respiration, lorsque toutes les fonctions des organes sont suspendues, réalise la concentration de la conscience sur un seul objet[1]. » A chaque type de souffle correspond un état de conscience ou d'activité. Il nous semble évident que le coureur ou le bijoutier, le colérique ou le flegmatique n'ont pas le même rythme respiratoire. Le yogi inverse la proposition et connaît différents états de conscience — et ceux propres à différentes activités — en reproduisant le rythme respiratoire qui leur est particulier. Il atteint indirectement le but de la concentration, qui est d'explorer les diverses possibilités du psychisme.

Par exemple, tout en restant parfaitement lucide, le yogi « s'accorde » au rythme du sommeil et voit défiler devant lui les phantasmes de la vie nocturne. Il peut se concentrer, c'est-à-dire se projeter dans le rêve et en maîtriser le déroulement, en interpréter consciemment les messages. (Au début, il lui arrive aussi de s'endormir.)

[1] Bhoja, *Yoga-Sûrtra*, I, 34.

Il y a mieux. Le Dr Thérèse Brosse a pu vérifier, grâce à un outil moderne, l'électrocardiogramme, la profondeur de certains états de transe induits par la respiration contrôlée et pouvant aller jusqu'à la léthargie : « la restriction de la respiration est parfois telle que certains yogis peuvent sans dommage se faire enterrer vivants pour un temps donné, gardant un cubage d'air qui serait totalement insuffisant pour assurer leur survie. Cette petite réserve d'air est, selon eux, destinée à leur permettre, au cas où un accident les ferait sortir en cours d'expérience de leur état de yoga et les mettrait en danger, de faire quelques inspirations pour se replacer en cet état[1]. » Encore une fois, répétons que l'obtention de ces capacités paranormales ne saurait être considérée par le yogi comme un but en soi. Mais la démarche expérimentale est si profondément ancrée dans le yoga qu'il faut au développement spirituel une contrepartie, une vérification matérielle. Le contrôle du souffle joue néanmoins un rôle primordial dans le développement du pouvoir de concentration, et cette perspective l'emporte sur toutes les autres. C'est d'ailleurs sous ce dernier aspect qu'on le retrouve dans de nombreuses disciplines extra-indiennes[2].

Connaître les états mentaux

Le contrôle du souffle ayant permis au yogi de s'isoler sensoriellement du monde extérieur, de prendre conscience de sa propre vie organique et d'« unifier » son esprit, il lui est possible de franchir les plus hautes marches. Aucune convoitise, aucune dissipation ne viennent perturber son effort de concentration. Son corps est à même de supporter les fatigues et les épreuves finales. C'est alors — et alors seulement — qu'il peut se livrer aux activités « magiques ». « Ainsi, par exemple, en exerçant le *samyama* (concentration et méditation) sur la distinction de l'idée et de l'objet, le yogi connaît les cris de toutes les créatures. En pratiquant le *samyama* à l'égard des résidus subconscients, il connaît ses expériences précédentes. Par le *samyama*

---

[1] Ch. Laubry et T. Brosse, in *la Presse médicale*, n° 83, et Dr J. Filliozat : *Magie et médecine* (Paris, 1943).
[2] Voir au dossier : « Le contrôle du souffle en Chine, en Occident » page 154.

exercé à l'égard des « notions », le yogi connaît les états mentaux des autres hommes. » Nous n'imaginons qu'une forme à cette connaissance, la connaissance des « contenus ».

Pour nous, le signe de l'activité mentale, c'est la production des idées : on pense quand on a une idée, on ne pense pas quand l'esprit est « vide ». Mais ce vide, les psychologues occidentaux l'ont peuplé de pulsions, d'images inconscientes, de désirs inavoués ; les parapsychologues cherchent à préciser la nature de l'énergie psychique, telle qu'elle se manifeste lors des psychocinèses*. Bref, la pensée nous paraît de moins en moins se réduire à de simples contenus, c'est-à-dire, en fait, à des mots. Les yogis n'ont qu'une confiance modérée (pour ne pas dire pas de confiance du tout) dans la sincérité et la vérité du langage. Dans la mesure du possible, ils s'efforcent de mettre un nom sur une expérience spirituelle, mais ils ne croient pas qu'une chose existe parce qu'elle a un nom. Aussi leur connaissance des états mentaux ne passe-t-elle pas par un discours, mais par ce que nous nommerions des sentiments : le yogi sait qu'un homme est amoureux, mais aucune petite voix ne lui glisse au creux de l'oreille : « Cet homme est amoureux. » Sa propre sérénité mentale lui permet seulement d'enregistrer, comme un sismographe, les secousses plus ou moins fortes qui détruisent l'unité mentale de son prochain. A l'observateur occidental, la connaissance des états mentaux paraîtra une sorte d'intuition extrêmement aiguë.

Le travail sur les résidus mentaux s'apparente plus à la psychanalyse. Tout le monde sait que la représentation indienne du monde est une sorte de cycle — de roue — qui voue les êtres à se réincarner pour l'éternité. Seuls, le détachement, puis la fusion avec l'Univers permettent aux Sages d'y échapper. Le yogi utilise pour cela les résidus de ses vies antérieures, le refoulé du psychanalyste. Encore faut-il qu'il soit dégagé des formes de la pensée ordinaire qui attribuent un sens actuel à des souvenirs anciens. Là où le psychanalyste interprète, le yogi médite. Là où le psychanalyste réactualise, le yogi régresse. Voici une image qui rendra plus concrète cette comparaison. Pour mieux observer un objet lointain, il y a deux moyens. Le premier consiste à prendre des jumelles ou une lorgnette, bref un instrument qui fera paraître l'objet plus proche. C'est ce que fait le psychanalyste. L'autre moyen — c'est celui qu'emploie le yogi — consiste à se déplacer vers l'objet, à s'en approcher. La « huitième force de sagesse », comme la nomme la tradition, permet au yogi de revenir à cette période des réincarnations dont les souvenirs sont les résidus mentaux. De là, il peut contempler des « ruines » nouvelles, celles des vies antérieures, et s'en approcher à nouveau.

Ainsi, d'étape en étape, il remonte le temps : « Il arrive que tel ou tel religieux ou brahmane, grâce à son ardeur, grâce à son énergie, grâce à une parfaite attention d'esprit, atteigne une telle absorption de pensée qu'il se souvient de ses diverses résidences dans la vie antérieure — à savoir une existence, deux existences, trois, quatre... dix... vingt... cent... mille... cent mille existences..., en sorte qu'il dira : en ce temps-là j'avais tel nom, telle famille, telle caste, tel mode de nourriture, j'éprouvais tel plaisir et telle souffrance, j'atteignis tel âge[1]. » Un grand traité nous fournit la recette condensée de cette exploration du temps. C'est en même temps un procédé mnémotechnique : « L'ascète qui veut se souvenir de ses anciennes existences commence par saisir le caractère de la pensée qui vient de périr ; de cette pensée, il remonte, en considérant les états qui se sont immédiatement succédé dans la présente existence, jusqu'à la pensée de la conception[2]. »

Le yoga « magique »

Libéré par la maîtrise de son souffle, le yogi devient capable (d'après l'enseignement) d'accomplir sa destinée terrestre et d'échapper, par la méditation, à la roue infernale des réincarnations. Il peut aussi — bien que cela ne soit pas un but digne de lui — se simplifier considérablement l'existence dans cette vallée de larmes, grâce à des pouvoirs magiques : comme, par exemple, celui de disparaître à la vue des autres hommes ; de connaître le moment de la mort ; d'explorer le cosmos tout entier ; de faire disparaître les sensations de faim et de soif ; etc. « [Le yogi] jouit du pouvoir merveilleux sous toutes ses formes : étant un, il devient plusieurs, étant plusieurs, il redevient un ; il

[1] *Dighanikaya, I, 27. et Digha, III, 108.*
[2] *Abidharma Koça, VII.*

devient visible ou invisible; il traverse, sans éprouver de résistance, un mur, un rempart, une colline, comme si c'était de
l'air; il pénètre de haut en bas à travers la terre solide, comme à
travers l'eau; il marche sur l'eau, sans s'y enfoncer, comme sur
de la terre ferme; il voyage, les jambes croisées et repliées sous
lui, dans le ciel comme les oiseaux avec leurs ailes [...]. Avec
cette claire, céleste oreille surpassant l'oreille des hommes, il
entend à la fois les sons humains et les sons célestes, fussent-ils
loin ou près. [...] Pénétrant avec son propre cœur les cœurs des
autres êtres, des autres hommes, il les connaît[1]. » L'ensemble de
ces facultés constitue le yoga « magique », dont le yogi n'a pas le
privilège exclusif. N'importe quel ascète, même étranger à la
doctrine bouddhiste, peut les développer. Il peut, en somme,
négliger le contenu philosophique du yoga pour n'en retenir que
les résultats pratiques et détourner l'ascèse de sa fin suprême, la
libération, le nirvânâ. Le Bouddha en était lui-même très
conscient, et c'est la raison pour laquelle il conseillait de maintenir secrètes les voies conduisant aux pouvoirs paranormaux,
aux *siddhis*. Si cette partie consacrée au yoga s'achève ici, c'est
que sa phase ultime — la dernière marche — ne concerne en rien
le développement des facultés paranormales. Le yogi libéré
n'appartient plus au monde des hommes, pas plus qu'à celui des
dieux, d'ailleurs. Il transcende la souffrance des premiers et
l'« existence supérieure », mais néanmoins imparfaite, des seconds. Il n'a plus besoin de ses « pouvoirs » quelconques
puisqu'il participe de l'Universel, qu'il procède de l'Ineffable,
sans durée ni étendue. IL EST...

---

[1] *Phalla Sûtra*, Dighanikâya.

La concentration et les techniques modernes

Bien que le yoga ne se donne pas pour finalité de développer les facultés paranormales, il les suscite D'une manière plus générale, le hatha-yoga démontre que l'expression de certains pouvoirs extra-ordinaires passe par la maîtrise du corps, et par une maîtrise qui n'est pas seulement une gymnastique, mais une *prise de conscience*. « La relation entre les informations paranormales et des états d'attention intérieure (ou de concentration) remonte à la période védique de l'histoire indienne[1]. » Mais ne nous y trompons pas : il ne s'agit pas d'une *analyse* de ce qui se passe en nous lorsque, isolés du bruit du monde, nous retournons en nous-mêmes. Il ne s'agit pas d'introspection. Si, comme l'écrit Honorton, « l'utilisation des états d'attention intérieure permet de détecter et d'enregistrer un flot d'informations paranormales », c'est qu'il se produit, lors de la méditation, un ensemble de processus à la fois psychologiques et physiologiques très particuliers. « Nous pouvons formuler ainsi, poursuit cet auteur, l'objectif central qu'il convient de poursuivre par les méthodes de relaxation : détecter et reconnaître le moment où le receveur (percipient*) se trouve dans un état de moindre sujétion aux influences proprioceptives (c'est-à-dire

[1] Honorton : article « Internal Attention States » dans l'ouvrage collectif *New Directions in Parapsychology*, op. cit.

aux perceptions internes).* » D'autres parapsychologues ont pu écrire : « Dans ces dernières années, nombre de facteurs ont été identifiés, qui placent le sujet dans les meilleurs conditions possible : parmi eux, on peut citer la relaxation physique et mentale, qui réduit les influences sensorielles et maintient un niveau suffisant de conscience[1]. »

Les influences (ou stimuli) sensoriels néfastes sont de divers ordres : le bruit, tout d'abord. C'est un véritable fléau pour le parapsychologue, même à des niveaux très bas. Non seulement il empêche la transmission correcte des informations extra-sensorielles, mais il provoque incidemment une augmentation du tonus musculaire, un raidissement corporel. Lors d'une expérience de télépathie, un bruit peut provoquer une rupture dans le contact le mieux établi. Il peut également fausser les résultats réels obtenus lorsqu'il aura constitué, pour l'inconscient du sujet, une source d'informations : par exemple, lorsqu'il s'agit de deviner une série de cartes de Zener, si l'expérimentateur place les bonnes réponses d'un côté et les mauvaises de l'autre. Le sujet finit par localiser la source sonore et par « décoder » le bruit — imperceptible — qu'il utilise ensuite comme repère. Ne croyez pas que de telles indications soient mineures. Sous hypnose, certains sujets sont capables, à plusieurs mètres de distance, de lire dans la pupille de l'expérimentateur. Une bonne expérience parapsychologique doit donc se dérouler dans un local modérément insonorisé. Modérément, parce que l'insonorisation complète ferait ressortir les bruits physiologiques : battements du cœur, respiration, qui deviendraient eux-mêmes des éléments perturbateurs. L'expérimentateur doit éviter de déconcentrer le sujet en claquant porte, fenêtres ou tiroirs. Les perfectionnistes pourront munir leurs chaussures de semelles de crêpe.

Une lumière trop violente est également un obstacle à la concentration. Lors de certaines expériences de lecture à distance (consistant, par exemple, dans la description d'une image que l'expérimentateur observe dans une pièce voisine), le sujet *psi* peut être aveuglé par un masque comme on en vend dans les

[1] Terry, Tremmel, Kelly, etc. : *Psi Information Rate in Guessing and Receiver Optimization*.

pharmacies pour favoriser le sommeil. Un dispositif astucieux permet de laisser filtrer un peu de lumière, mais sans qu'il soit possible de reconnaître quoi que ce soit dans l'environnement : il s'agit de deux hémisphères obtenus en découpant une balle de ping-pong, qu'on fixe sur les yeux avec de l'adhésif médical (disponible également en pharmacie). Avec de pareilles « lunettes », le sujet est plongé dans une clarté vague, très reposante, et il ne ressent pas l'angoisse claustrophobique que provoque quelquefois un masque ou une pièce plongée dans l'obscurité complète. L'expérimentateur peut prendre ses notes ou manier ses instruments en pleine lumière.

Un facteur sensoriel global intervient aussi pour troubler une expérience *psi* : c'est la gêne. Gêne physique provoquée par un siège trop dur, une position incommode, etc. Les chercheurs américains emploient souvent un fauteuil de relaxation, en position allongée, mais n'importe quel dispositif confortable fera l'affaire. Il est recommandé au sujet *psi* de se vêtir légèrement, comme s'il se disposait à accomplir un exercice sportif, d'ôter ses chaussures, sa montre, les bracelets ou breloques qu'il pourrait porter. Le professeur Rhine* a également constaté que l'apparition des phénomènes *psi* était favorisée par une baisse de la pression atmosphérique et des conditions météorologiques spécifiques sur lesquelles, malheureusement, nous n'avons guère de moyens d'action. De toute évidence, et contrairement à ce que l'imagerie de la littérature et du cinéma fantastiques laisse croire, les périodes d'orage, les grands bouleversements climatiques, le déploiement brutal des forces naturelles ont une action inhibante sur les phénomènes *psi* en accroissant la tension mentale des sujets. *Pour se manifester, le paranormal requiert des conditions «normales».*

Ne perdez jamais de vue que les manifestations paranormales n'obéissent pas aux lois causales ordinaires. Par exemple, on ignore comment elles s'inscrivent dans le temps. Nous verrons plus loin[1] que les processus télépathiques fonctionnent quelquefois avant que le sujet en ait conscience, avant qu'il « veuille » utiliser ses facultés paranormales. La situation relaxante a pour principal effet de nous mettre en état de disponi-

[1] Dans le chapitre intitulé : «Les phénomènes psi inconscients», page 73.

bilité à cet égard. Il faut donc que les exercices de décrispation s'accompagnent d'un regain de vigilance : la relaxation *psi* est un moyen, non un but, répétons-le. Pour résumer la démarche que nous allons suivre dans ce chapitre, disons qu'*il s'agit d'associer une diminution des tensions physiologiques et psychiques à une augmentation de l'attention tournée vers les processus paranormaux.*

Techniques contemporaines de relaxation

Edmund Jacobson, cité par Simon Monneret[1], écrit : « Dites-moi ce que vous essayez de faire toute la journée, dites-moi quels sont vos efforts, et je vous dirai qui vous êtes[2]. » La relaxation progressive de Jacobson est d'abord un effort pour dominer certaines tensions acquises, tensions qui s'inscrivent dans l'organisme par l'intermédiaire de nos émotions : « Il serait peut-être naïf de dire : nous pensons avec nos muscles, mais nous avons tort d'affirmer que nous pensons sans eux. » Le (futur) sujet *psi* est donc confronté à deux sortes de « blocages » : l'un, physique, est dû à son activité professionnelle, aux soucis, etc., ce qui l'empêche d'atteindre l'état de relâchement propice aux expériences paranormales, cette décrispation qui permettra le décodage de l'information *psi*.

Le second blocage est d'ordre mental. Une fois l'état de réceptivité physique atteint, il faut éliminer les facteurs critiques, la tendance à l'analyse, au « je pense ceci », qui rétablit elle-même des tensions physiques perturbatrices. « Quand l'information émerge au niveau conscient, écrit Milan Ryzl*, elle est dépendante de notre état d'esprit [...]. Si notre structure mentale n'est pas profondément réceptive, cette information sera distor-

---

[1] Dans *Savoir se relaxer* (Paris, éditions du C.E.P.L.-Retz, 1977).
[2] Edmund Jacobson : *Biologie des émotions* (Paris, E.S.F., 1974).

due[1]. » Or, la réceptivité est fonction d'éléments physiologiques : on retrouve donc la nécessité d'une relaxation. Aux Etats-Unis, les parapsychologues obtiennent des résultats optimaux en utilisant de conserve « la relaxation musculaire, la concentration active (généralement sur un stimulus lumineux : « fixez cette lampe, ne pensez qu'à cette lampe ») et la concentration passive (« ne faites aucun effort pour voir cette lampe, fondez-vous en elle »)[2] ». Ils obtiennent ainsi de leurs sujets un état voisin de la transe* : « Tous les témoignages concordent pour affirmer que les attitudes mentales débouchant sur la clairvoyance doivent avant tout éliminer les tensions, efforts, travaux volontaires et conscients[3]. » Or, « la relaxation est, pour Jacobson, le degré zéro de l'activité nerveuse des muscles. En l'absence totale de contraction nous sommes comme une poupée de chiffon, n'offrant aucune résistance[4] ». La résistance dont parle Jacobson est évidemment d'ordre physiologique, mais le parapsychologue saura l'utiliser à d'autres fins. Le programme de relaxation *psi* peut commencer par les différents exercices de la méthode de Jacobson. C'est malheureusement « une méthode lente et minutieuse. Elle peut s'étaler sur un an ou plus et demande beaucoup de persévérance [...]. Elle comporte des séances d'une heure environ effectuées quotidiennement [...], et le travail sur les muscles doit opérer par lui-même[5] ». Nous serions tenté de conclure — ce qui paraîtrait purement et simplement hérétique aux yeux de Jacobson ! — que sa méthode devrait être condensée, activée et, pour tout dire, réinventée dans une perspective parapsychologique. Mais, et nous insistons sur ce point, elle constitue un élément extrêmement favorisant, pour ne pas dire indispensable, du processus de développement *psi*. Particulièrement en ce qui concerne les citadins, dont les études médicales montrent l'état de tension musculaire permanent, la baisse des aptitudes perceptives, la déconcentration progressive.

---

[1] Dans *The Search for psychic Power*.
[2] C. Honorton *Group PK Performance with Suggestions for muscle Tension/Relaxation active/passive Concentration*.
[3] P. Ravignant et Dr Larcher : *les Domaines de la Parapsychologie* (Paris, C.A.L., 1972).
[4] S. Monneret, *op. cit.*
[5] Idem, *op cit.*

Le training autogène et la disponibilité psi

« Le *training* consiste à obtenir un état de décontraction globale
et de détente physique par un type de concentration personnelle ;
ce que H. Schultz a nommé de ce terme barbare : autodécon-
traction concentrative[1]. » Si Jacobson « dénoue » le corps,
Schultz permet à l'âme de s'en libérer presque complètement.
En fait, le training autogène (T.A.) s'apparente beaucoup plus
au hatha-yoga, dont il reprend non seulement l'idée d'une progression dans la connaissance intérieure (qu'il est facile de lier à
la progression parallèle des aptitudes *psi*), mais aussi certaines
postures de relaxation. Schultz s'est d'ailleurs proposé « de
conquérir le contenu réel de la tradition yogique » (entendez : ce
que les yogis, eux, considèrent comme la part la plus superfi-
cielle de la discipline). Certaines constatations de Schultz rejoi-
gnent celles des parapsychologues. Refusant l'effort physique,
le T.A. insiste sur l'action involontaire de la conscience ou, si
l'on préfère, sur le rôle de l'inconscient. « Vous réussirez d'autant mieux à vous mettre en état de décontraction que vous vous
concentrerez non pas sur un acte à accomplir, mais sur l'idée de
la représentation de cet acte[2]. » Or, nombre de perceptions extra-
sensorielles sont effectivement inhibées par une « surpression »
de la volonté. Cette sorte de volonté, du moins, qui s'efforce de
prendre totalement en charge le corps. Schultz utilise des formules autosuggestives. Dans quelle mesure la disponibilité *psi*
est-elle compatible avec une stimulation verbale ? Les résultats
obtenus par un travail en duo (expérimentateur et sujet) prouvent
que la relaxation s'obtient mieux et plus vite lorsqu'elle em-
prunte le chemin préhypnotique de la suggestion. Par contre,
l'autosuggestion entraîne fréquemment des perturbations dans
l'effort de concentration du sujet *psi*. Il paraît donc souhaitable
de l'écarter[3]. Par ailleurs, le T.A. n'a rien à envier, sous l'angle

[1] S. Monneret, *op. cit.*
[2] Idem, *ibid.*
[3] Nous sommes des « pirates » de la relaxation, conduits à détourner ou à « oublier » la lettre des techniques relaxantes pour obtenir des effets *psi*.

de la durée, à la méthode de Jacobson : visiblement, les thérapeutes de l'anxiété n'éprouvent pas, à l'égard de la motivation de leurs patients (qui n'ont jamais mieux mérité leur nom), le même souci que les parapsychologues. C'est plutôt dans les résultats obtenus qu'elles diffèrent. Chez Schultz, le rôle de la sensation (de pesanteur, de chaleur, etc.) est notablement accru. Le sujet parvient peu à peu à modifier ses réactions sensorielles (mais ne sont-elles pas modifiées dès qu'il en prend conscience ?) d'une façon que l'on pourrait envisager sous un angle purement parapsychologique. « L'expérience de la chaleur est aussi accompagnée de dépersonnalisation partielle et de modification de la perception du corps. Parmi les plus classiques, on trouve celles apparentées aux membres fantômes des amputés : impression d'agrandissement, de rétrécissement, de mouvement d'une extrémité immobile, sensation d'engourdissement ou de picotements[1]. » Il est clair que ces phénomènes ont leur origine dans des modifications connues du système vasculaire. Ils constituent néanmoins un pas vers une perception plus sensible des mouvements énergétiques à l'intérieur du corps[2].

Un chercheur américain, Lawrence LeShan[3], a émis sur ce point une hypothèse dont nous devons rendre compte ici. « Comme point de départ, il choisit d'étudier le concept de réalité, tel que l'expriment les théoriciens de la physique, les médiums, les clairvoyants et les mystiques. LeShan constata qu'il y avait entre leurs diverses visions du monde de nombreux points de convergence et il émit l'hypothèse que chacun, à sa manière, décrivait essentiellement la même réalité[4]. »

LeShan nomma cette dernière «réalité clairvoyante» par opposition à celle de tous les jours, la «réalité sensorielle». «Une personne qui rend compte de son expérience dans les termes de la réalité clairvoyante considère comme une illusion l'identité individuelle; les objets et les événements sont considérés d'un

[1] S. Monneret, *op. cit.*

[2] Voir le chapitre «Perception et Extra-perception».

[3] L. LeShan : *The Medium, the Mystic and the Physicist* (Londres, Turstone, 1974).

[4] J.L. Randall : *Parapsychology and the Nature of Life. A scientific Appraise* (Londres, Souvenirs Press, 1975).

point de vue plus large. Le sujet et l'objet ne faisant qu'un, il n'y a aucun obstacle à ce que de l'information circule entre eux, et c'est la raison pour laquelle, à l'intérieur de cette vision du monde, les phénomènes sont normaux[1]. »

Cette théorie accrédite les efforts des « mystiques » pour recouvrer l'unité perdue et le travail des physiologistes de la relaxation pour libérer le « vieil homme ».

Relaxation et méditation

Notons que Jacobson et Schultz, pétris d'habitudes occidentales, n'envisagent que secondairement les effets psychologiques de leurs méthodes, même lorsqu'ils font appel, en cours de travail, à des éléments purement subjectifs, tels que la volonté du sujet ou sa conscience. Mais, en fin de compte, « toutes les techniques […] ont pour objet de produire chez l'individu, de façon transitoire ou permanente, une expansion de la conscience appelée diversement : conscience pure, *satori*, *samadhi*, réalisation de soi ou même illumination[2] ».

Cette « expansion de la conscience » donne-t-elle accès aux sources mêmes des facultés *psi* ? Augmente-t-elle simplement notre réceptivité normale ? Une expérience semblant confirmer ce dernier point : « Deux groupes de sujets furent constitués : le premier était composé d'individus ayant suivi pendant une période minimale de six mois des séances de relaxation, puis de méditation. Le second groupe était formé de visiteurs de l'Institut (pour la parapsychologie) et d'étudiants intéressés par nos recherches. Ces derniers nous affirmèrent n'avoir jamais pratiqué aucune technique de *self control*.

---

[1] J.L. Randall, *op. cit.*
[2] Voir « Un quatrième état de conscience », par Anne Chassaing, in revue *Psychologie*, n° 89, juin 1977.

« Chaque sujet eut à utiliser une machine de Schmidt. Il était assis dans une petite pièce, éclairée à la lumière tamisée, en face d'un globe lumineux de six pieds (1,85 m) de diamètre. Un générateur de hasard relié à la lampe l'allumait et l'éteignait alternativement. Les sujets devaient prédire l'allumage [...]. Les résultats confirmèrent notre hypothèse (selon laquelle relaxation et méditation préparent à l'accomplissement de performances *psi*). Chaque groupe de sujets accomplit 6 400 tests. Le groupe de contrôle (sujets non préparés) obtint 3 131 bons résultats (sans signification); mais le groupe expérimental (sujets préparés) fournit des réponses supérieures à l'espérance statistique, et ceci de manière constante[1]. » Quelques années plus tôt, les études de Osis, Bokert et Carlson établissaient une liaison positive entre les performances *psi* et la méditation. Mais cette corrélation n'était pas assez forte pour que l'on puisse en tirer des conclusions, et la faiblesse même des résultats fut expliquée par une « rivalité » entre les tâches proposées aux sujets, méditer et deviner. Roll et Solfvin ont repris ces expériences, dans le cadre d'un séminaire de « méditation et développement psychique » de l'Université libre de Duke. Ils utilisèrent pour cela la technique de méditation E.N.O. : « Les sujets étaient tout d'abord assis sur des coussins, dans une pièce faiblement éclairée. Ils avaient les yeux couverts par deux hémisphères d'acétate (les balles de ping-pong dont nous avons parlé), tandis qu'un haut-parleur diffusait des bruits enregistrés près de la rivière qui donne son nom à la méthode. L'essentiel de la séance consistait en une visite imaginaire à l'E.N.O., susceptible de conduire, éventuellement, à l'océan. La visite était commentée par des instructions verbales. Les sujets étaient prévenus qu'ils pourraient rencontrer dans leur périple divers objets ou animaux [...]. Ceux-ci correspondaient, en fait, à des « buts télépathiques » enfermés dans des enveloppes opaques et placés au fond de la salle de méditation. C'était la première expérience.

« Comme la rivière approchait de l'océan, les expérimentateurs firent diverses suggestions pour obtenir un regain de conscience de la part des sujets. Puis on leur demanda de se

[1] F. Matas, L. Pantas : *A PK Experiment comparing Meditating versus Nonmeditating Subjects.*

« brancher » sur la pensée d'un inconnu et de recueillir les impressions que celui-ci tirait d'une image, dans une pièce voisine. A la fin de la séance, on leur montrait quatre images possibles en leur demandant d'associer chacune d'entre elles aux impressions qu'ils avaient ressenties. Ceci constituait la seconde expérience.

« Au total, il fut enregistré 79 méditations; 19 étaient incomplètes et ne purent servir de matériaux pour l'analyse. Mais sur les 60 restantes, 36 atteignirent le but fixé pour la première expérience et donnèrent une description concordante des buts télépathiques (selon des critères d'une trop grande précision pour que nous les développions ici). La seconde expérience (de télépathie) permit de sélectionner 21 sujets, sans toutefois qu'apparaisse un résultat vraiment significatif. » Que peut-on déduire de cette différence entre les deux scores ? « La clairvoyance semble plus accessible dans les conditions de la méditation que la télépathie. Les états de conscience altérée obtenus par la méditation stimulent l'imagerie mentale du sujet et lui donnent accès à des représentations possibles (clairvoyance), mais ils inhibent les facultés de perception dirigée (télépathie). »

Le rêve éveillé dirigé

Dans les années trente, C. Happich, un médecin allemand, mit au point une méthode thérapeutique fondée sur l'imagerie mentale[1]. Il situa la zone propre à la méditation entre le conscient et l'inconscient, zone où les créations « imaginaires » apparaissent aux « yeux de l'esprit » (geistiges Auge). C. Happich s'aperçut un beau jour qu'il utilisait, sans le savoir, la technique de Schultz (2e cycle). Au même moment, un Français, Robert Desoille, ingénieur de formation, faisait, lui aussi, « parler l'inconscient » dans un but parapsychologique[2]. Ainsi, dans plusieurs pays d'Europe, et presque simultanément, des chercheurs

[1] C. Happich : « Bildbewusstsein als Ansatzstelle psychischer Behandlung », Zbl. Psychother. N° 5, 1932.
[2] Revue métapsychique, 1932, n° 6 : « De quelques conditions auxquelles il faut satisfaire pour réussir des expériences de télépathie provoquée ».

mettaient au point des méthodes voisines, qu'on groupe aujourd'hui sous le nom de « rêve éveillé dirigé », terme emprunté à Léon Daudet[1].

Ces méthodes systématisent le procédé employé dans l'expérience E.N.O. précédente : placer le sujet dans un environnement calme « pour l'aider, écrit E. Caslant, à chasser ses préoccupations du moment au moyen de contre-images. Puis on le prie de se dégager de toute pensée d'intérêt et de ne chercher dans la séance qu'une possibilité d'évolution psychique plus haute [...]. On voit alors surgir des visions inaccoutumées de plus en plus curieuses et accompagnées de sensations inconnues dans l'état ordinaire [...]. On obtient non seulement des visions curieuses et inédites, mais encore des visions de qualités différentes[2] ».

Cette « évolution psychique plus haute », ces « visions curieuses et inédites » peuvent, dans un grand nombre de cas, être rattachées au domaine du paranormal, bien qu'elles n'aient rien de spontané puisqu'il s'agit de rêve éveillé dirigé.

Peut-être vous serez-vous étonné de voir rapprochés ces deux mots : « rêve » et « éveillé ». Le rêve éveillé dirigé (nous abrégerons désormais en R.E.D.) n'a pas besoin du sommeil au sens « hypnique », c'est-à-dire nocturne[3]. « Il importe justement, disent R. Frétigny et A. Virel, de ne pas aller jusqu'à cet isolement total. Le principe de la technique de l'imagerie mentale sera, pour une première part, de mettre le sujet dans un état d'isolement sans que pour autant sa vigilance disparaisse tout à fait (état subvigile)[4]. »

Contrairement aux procédures de la parapsychologie classique, la présence de l'expérimentateur, nommé opérateur, est

[1] L. Daudet : *le Rêve éveillé* (Paris, Grasset, 1926).
[2] E. Caslant : *Méthode de développement des facultés supranormales* (Paris, Ed. Jean Meyer, 1937).
[3] Ce qui justifie que nous ayons abordé le « rêve éveillé » dans le chapitre consacré aux effets de la relaxation et de la méditation et non dans la partie consacrée aux rêves proprement dits.
[4] R. Frétigny et A. Virel : *l'Imagerie mentale* (Genève, Ed. du Mont-Blanc, 1968).

non seulement inévitable , mais requise : c'est lui qui suggère les orientations de la rêverie (rêve dirigé). « Le « rêve éveillé » est dirigé par une autre personne que le rêveur […]. C'est une rêverie faite devant et avec quelqu'un[1]. » Il comporte trois phases : phase maïeutique, consacrée à un bilan des expériences intérieures du sujet depuis la dernière intervention du psychologue ; phase onirique, ou exploration de l'imagerie mentale ; phase de maturation, qui a pour but d'intégrer son expérience vécue. Lorsqu'on se fixe un but parapsychologique et non thérapeutique il est permis d'abandonner la phase maïeutique, à moins que le sujet ait effectivement vécu des expériences paranormales en dehors de la séance. Dans ce cas, le récit qu'il en fera à l'opérateur (expérimentateur) pourra fournir des images clefs susceptibles d'induire de nouvelles expériences de ce type.

Ces images clefs portent bien leur nom : elles ouvrent en effet une porte, celle de l'imaginaire, de l'imaginaire maîtrisé et organisé par le rêveur, à l'instigation de l'opérateur. Hans Carl Leuner a proposé une série d'images clefs typiques pour susciter la phase onirique :
— une prairie (« l'harmonie psychique actuelle ») ;
— la montée de la prairie vers une montagne ;
— la descente du cours d'une rivière (et nous retrouvons la procédure E.N.O.) ;
— une maison visitée de haut en bas ;
— un prénom, etc.

« Lorsqu'on laisse alors se dérouler ainsi librement l'imagerie, qu'observe-t-on ? Le sujet passe d'une image à l'autre. Il dit aller ici ou là. Il découvre un chemin et s'y engage. Il ressent la présence d'un personnage qu'il identifie ou qu'il n'identifie pas[1]. » Le parapsychologue — opérateur ou tiers — qui aura disposé parallèlement un dispositif d'appel ou de stimulation (enregistrement au magnétophone, film sur écran ou magnétoscope, images fixes, etc.) ou qui aura établi, très minutieusement, un scénario écrit inconnu du sujet, observera les analogies entre son message et le rêve éveillé du patient. De telles analogies furent à l'origine des préoccupations de R. Desoille, qui

[1] J. Favez-Boutonier : « Psychothérapie par le rêve éveillé », in *Enc. Méd. Chir. Psychiatr.*, C.I.O., 1-3, 1955.

préfaça la réédition de l'ouvrage du véritable fondateur de la méthode, H. de Saint-Denys[1]. Le rêve éveillé nous introduit dans l'imaginaire collectif non seulement parce qu'il s'appuie sur des contenus symboliques universels, mais parce qu'il établit une communication entre ces contenus. On parle alors de « second degré » ou de « mémoire de l'imaginaire ». Les psychologues n'y voient qu'une résurgence de l'inconscient collectif, les parapsychologues y dépistent, comme E. Caslant, « des images qui se retrouvent dans le subconscient d'une autre individualité[2] ». A condition, bien entendu, d'avoir mis en place le dispositif auquel nous faisons allusion plus haut, sous contrôle, et de tenir le plus grand soin des transformations symboliques et des modifications dues aux mécanismes du rêve, tels qu'ils ont été définis, entre autres, par la psychanalyse. Il reste alors suffisamment d'informations « analogues » pour qu'on puisse parler de clairvoyance.

Le dépouillement de ces informations pose des problèmes méthodologiques complexes. La technique du rêve éveillé dirigé, développée dans un sens thérapeutique, n'a pas été explorée de manière systématique à des fins parapsychologiques, sauf aux U.S.A. On peut d'autant plus le regretter que ses promoteurs — Saint-Denys, Caslant, Desoille — étaient tous français...

---

[1] Saint-Denys (Hervey de) : *Les Rêves et les moyens de les diriger* (Paris, 1964).
[2] E. Caslant, cité par Christian H. Godefroy : *la Dynamique mentale* (Paris, Robert Laffont, 1076).

Les phénomènes psi inconscients

De très nombreux parapsychologues pensent, aujourd'hui, que nous utilisons fréquemment nos facultés *psi* sans nous en rendre compte. Les informations paranormales, stockées dans l'inconscient, n'en émergeraient qu'en de rares occasions[1]. *Cela confirmerait, dans une certaine mesure, l'hypothèse d'une utilisation très ancienne de nos facultés psi, abandonnées au profit d'instruments plus maniables ou plus contrôlables.* Le grand romancier suisse Ramuz écrivait : « Il ne serait pas très difficile de montrer que plus l'homme progresse dans la conquête de ce qu'il faut bien appeler ses pouvoirs seconds, qui sont d'espèce mécanique, plus il recule dans la possession de ses pouvoirs premiers, qui sont d'espèce intuitive, et qu'il va sans cesse déperdant. »

Les facultés paranormales ressortiraient d'un « refoulé » que le parapsychologue se devrait alors de remettre au jour, comme s'y efforce l'analyste pour les contenus sexuels. L'analogie entre inconscient-sexuel et inconscient-parapsychologique est née d'une somme de constatations sur le temps. Bien avant Freud, on savait déjà que la notion de durée varie selon que l'on est en

---

[1] Consulter à ce propos D.J. West : *Psychical Research today* (Londres, Penguin Books, 1962).

état de veille ou de sommeil, qu'un épisode très long dans le rêve peut s'inscrire, en réalité, dans une période de temps très courte. De même, les notions de continuité, de séquence linéaire, de causalité, d'enchaînement logique semblent être étrangères à l'activité onirique. Par voie de conséquence, la formation de l'identité du sujet qui rêve, l'équilibre et la pérennité de son « moi » sont infiniment moins assurés que ceux d'un sujet en état de veille.

Il n'est pas nécessaire de tomber en transe* pour connaître des états de conscience déstructurée ou dissociée ; la rêverie nous en fournit un modèle commode, banal et quotidien. Chacun de nous a senti le temps se dilater en lui, quelques minutes devenir des heures, des heures se condenser en quelques minutes... Bref, lorsque nous quittons l'état de veille « active », nous ne tardons pas à expérimenter d'autres modes du temps, d'autres rythmes, d'autres chronologies.

La physique nous incite à croire que notre représentation du temps n'est pas la seule possible, la seule concevable, la seule vécue[1]. Et l'expérience parapsychologique semble étayer cette hypothèse. La recherche sur la temporalité est certainement l'un des domaines les plus fascinants de la parapsychologie.

Reprenons l'analogie de tout à l'heure, entre l'exploration des facultés *psi* et une psychanalyse. Lorsque le psychanalyste écoute son patient raconter un rêve ou exprimer des émotions, il doit pouvoir distinguer ce qui est « actuel » de ce qui est « revécu ». Le patient parle toujours au présent (ou plutôt c'est l'analyste qui écoute toujours au présent), mais ses propos dissimulent des souvenirs qu'il ne reconnaît pas lui-même pour tels, la censure agissant pour déformer sa mémoire.

Imaginons maintenant l'expérience parapsychologique la plus simple qui soit, celle qui consiste à prévoir le côté sur lequel tombera une pièce de monnaie lancée en l'air. Si le temps pendant lequel j'expérimente chaque jour est le seul « vrai », si les événements se succèdent bien les uns après les autres et que je

---

[1] Cf. John L. Randall : *Parapsychology and the Nature of Life* (Londres, Souvenir Press, 1975).

parvienne néanmoins à « battre » le hasard (en donnant plus d'une réponse juste sur deux), c'est que j'agis — ici et maintenant — sur le mouvement de la pièce de monnaie. Cette action physique est une télékinésie*. Je n'aurai pas deviné le résultat, j'aurai conformé le mouvement de la pièce à ma prédiction. Supposons maintenant que ce soit bien les structures temporelles qui sont en cause ; qu'indépendamment du trajet physique effectué par la pièce de monnaie, j'ai la faculté d'anticiper sur la succession normale des événements et de savoir, non pas à l'avance — puisqu'il n'y a plus, semble-t-il, d'« avant » ni d'« après » —, mais *autrement*, de quel côté elle va tomber, il s'agira alors de précognition*. Dans le premier cas, l'opérateur sera une énergie psychique capable d'agir à distance (ou télénergie*), dans l'autre, une modification de la structure temporelle ordinaire, un « raccourci chronologique ». Il n'est pas exclu que le processus soit composite, ou totalement différent : de quoi s'arracher les cheveux !

La quête du temps psi

L'une des grandes difficultés du développement rationnel des facultés *psi* consiste, par conséquent, à définir leurs relations avec le temps. Certains chercheurs, tel Milan Ryzl, se sont orientés vers l'étude des états de conscience altérée obtenus par hypnose[1] ; d'autres emploient les narcotiques « déstructurants[2] » ; d'autres mettent leurs plus grands espoirs dans l'infiniment petit, les aberrations qu'on observe au niveau des particules élémentaires[3] ; certains, enfin, tentent d'élargir la notion même de conscience en observant la manière dont les phénomènes *psi* se déclenchent et en tâchant de reconstituer ces conditions favorables.

[1] Cf. Milan Ryzl : « A Method of Training in ESP », in *International Journal of Parapsychology*, 8 (1966), p. 501-32.
[2] Cf. A. Puharich : *The sacred Mushroom* (New York Doubleday, 1959).
[3] C McCreery : *Psychical Phenomena and the physical World* (Londres, Hamish Hamilton, 1973).

Créer une charge émotionnelle

Une abondante littérature concernant les visions et les rêves prémonitoires montre qu'ils se déclenchent plus fréquemment dans un contexte émotionnel très particulier : angoisse violente, choc traumatique, danger imminent, etc. Voici un exemple classique, l'un des tout premiers à avoir été rapportés après une vérification rigoureuse : « Le 9 septembre 1848, au siège de Mooltan, le major général R... fut grièvement blessé. Persuadé qu'il allait mourir, il demanda à l'un de ses officiers d'ôter l'alliance qu'il portait au doigt et de l'envoyer à sa femme. Celle-ci demeurait à deux cent cinquante kilomètres de là, dans la ville de Ferozepore. « Durant la nuit du 9 septembre, déclara la femme du major R..., étant couchée dans mon lit, entre la veille et le sommeil, je vis distinctement mon mari, évacué du champ de bataille. Je l'entendis tout aussi distinctement articuler : « Otez cette alliance de mon doigt et envoyez-la à ma femme ». Toute la journée du lendemain, je ne pus m'empêcher d'entendre cette voix. Mon mari survécut à ses blessures. Ce n'est que bien longtemps après que le colonel L..., l'officier qui le sauva, me rapporta sa requête[1]. »

Des exemples du même ordre abondent ; ils établissent tous une corrélation entre une situation de choc émotionnel et la transmission — involontaire — d'une information télépathique. Ainsi, la « machine à anéantir le temps » se met-elle à fonctionner sans que nous le voulions, pour peu qu'un besoin violent s'en fasse sentir et qu'aucun autre moyen de communiquer ne soit alors disponible.

C'est à partir de ce postulat de base qu'une équipe de chercheurs de l'université de New York/Saint-John (pour plus de commodité, nous dirons S.-J.) a commencé son exploration des relations entre l'inconscient et le temps *psi*[2]. Mais comment placer des sujets volontaires dans un climat suffisamment chargé émotionnellement pour que les phénomènes *psi* aient quelque

[1] *Proceedings of the Society for psychical Research* (Barrett et autres, Londres, 1883).
[2] Cf. : G.R. Stanford et A. Stio, sous la direction de M. Johnson de l'université d'Utrecht (Pays-Bas).

chance de se produire ? Impossible, naturellement, d'imposer aux cobayes une expérience traumatique même simulée (subjectivement, les effets auraient été les mêmes «qu'en vrai»). L'équipe S.-J. a donc tourné la difficulté : au lieu de mobiliser des besoins vitaux, tels que l'instinct de conservation, de sécurité ou la satisfaction de besoins physiologiques, elle a utilisé un terrain émotionnel vivace, agréable et, ô combien ! chargé affectivement : le sexe...

« Je t'aime, moi non plus... »

Rien ne fut plus facile à l'équipe S.-J. que de recruter des volontaires pour une enquête sociopsychologique sur la stimulation auditive des pensées érotiques. Volontaires des deux sexes, bien sûr, auxquels on proposa d'écouter un disque (en français) de Jane Birkin et Serge Gainsbourg : «Je t'aime, moi non plus...» Précisons que ce disque, était, à l'époque, interdit aux U.S.A. parce que trop évocateur : il décrit en effet, de manière sibylline — mais pas trop —, un rapport sexuel au mode sado-masochiste, comme l'indique le titre.

Comme il est d'usage dans les laboratoires américains, l'expérience commença par un exposé visant à décrire aux volontaires la procédure qui serait suivie : dans un premier temps, les étudiants, au nombre de quarante, écouteraient le disque. Puis, une fois l'audition terminée, on les convierait individuellement à exprimer leurs impressions, à décrire leurs sensations et à définir les conditions dans lesquelles ils souhaiteraient réentendre l'enregistrement. Dans un second temps, ils subiraient tous un test d'association* *psi*, sorte de «pigeon-vole» qui consiste à associer le plus vite possible un mot à un autre, tiré d'une liste connue de l'expérimentateur, mais pas du sujet : on compare ensuite les réponses à la liste type pour établir les convergences de sens, les analogies, etc. Cette deuxième expérience n'était pas liée à la première. Enfin, on promettait aux étudiants qui auraient obtenu les meilleurs résultats qu'ils pourraient participer à une autre expérience de «stimulation érotique». Ce que les expérimentateurs se gardèrent bien de dire aux volontaires, c'est qu'en fait *les résultats du test d'association étaient connus*

d'avance, parce que définis arbitrairement. En d'autres termes,
l'équipe S.-J. avait décidé que tel étudiant serait admis à la
troisième phase — la «récompense» — et que tel autre serait
refusé, quelle que soit leur performance à l'un et à l'autre.

Concrètement, voici comment se présentait la troisième phase,
car elle eut effectivement lieu : «... Les bons sujets étaient
installés dans un fauteuil relax disposé en position basse. La
lumière était tamisée, on leur demandait de fermer les yeux.
L'expérimentateur leur faisait pratiquer quelques exercices de la
méthode Jacobson, puis se rendait dans une cabine voisine d'où
il s'efforçait de leur transmettre télépathiquement une image
cible.» Cette expérience *psi* était liée, expliquait-on, au test
d'association précédent. «Les mauvais sujets, eux, étaient assis
dans une chaise à dossier droit, seuls. Ils durent répondre, sans
interruption, à un test de précognition conduit avec des cartes
de Zener. Ils furent assistés par une voix enregistrée, une voix mâle
et distante, qui leur imposait une série de deux cents essais. Ils
furent prévenus, avant de commencer, que les résultats ne leur
seraient communiqués que beaucoup plus tard, par lettre per-

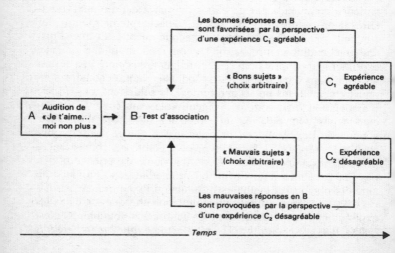

sonnelle. » On voit que l'équipe S.-J. avait accentué le handicap des uns et l'avantage des autres. D'une manière générale, on peut dire que ce qui se présentait comme une récompense pour ces derniers faisait figure de punition pour leurs camarades.

L'effet précède la cause

La conclusion de cette expérience d'apparence complexe est simple : ceux qui avaient été choisis pour bénéficier des meilleures conditions dans la troisième phase, et bien qu'ignorant le traitement privilégié qui leur était réservé, obtinrent les meilleurs résultats au premier test d'association, ainsi, naturellement, qu'à l'expérience de télépathie de la fin. *Comme si la qualité des associations obtenues pouvait être modifiée inconsciemment dans un but encore inconnu du sujet.*

En somme, l'effet positif obtenu — consciemment — par un sujet auquel on communique ses bons résultats put être également dépisté lors d'une expérience où ils ne lui furent pas communiqués.... A condition, toutefois, qu'il lui soit dévolu par la suite une tâche agréable. A l'inverse, les performances obtenues par un sujet que l'on destinait à une tâche pénible ou peu motivante furent médiocres, bien qu'il ignorât encore ce qui l'attendait...

Des conclusions pédagogiques capitales

En vertu d'un principe cartésien — d'ailleurs discuté depuis l'apparition des « méthodes globales » —, l'enseignement doit obéir à une gradation, du plus simple au plus complexe. Chaque phase de l'apprentissage doit intégrer les phases précédentes, la grammaire logique faire la synthèse des « cas », les mots appris un à un constituer un lexique que l'on mettra en œuvre dans des phrases de plus en plus élaborées. Cette théorie de l'apprentissage se fonde essentiellement sur la capacité de la mémoire à synthétiser l'information, à rattacher les éléments présents aux éléments passés. En fait, elle copie la structure du temps physique, mécanique, dans lequel un mouvement du bras, par exemple, n'est possible que si certaines conditions musculaires et nerveuses sont réunies.

L'expérience S.-J. montre qu'au contraire les facultés para-normales dépendent, dans leurs manifestations, de conditions d'une tout autre nature, dont certaines échappent à notre appré-hension — et à notre compréhension — normale du temps. Nous nous faisons une idée du progrès fondée sur un « après » supé-rieur à un « avant », quels que soient les critères retenus. Mais le fonctionnement inconscient des facultés *psi* ne semble pas tenir compte de ces distinctions : l'effet peut précéder la cause et le progrès se manifester dans des résultats d'emblée supérieurs à ce qu'ils seront par la suite. On est donc amené — faute d'une vraie connaissance de la chronologie *psi* inconsciente — à considérer les résultats de manière globale et non plus étape par étape, en une succession logique, mais illusoire.

Quel est, pour en revenir à notre discussion de départ, le rôle de l'affectivité dans la transformation du temps réel en temps *psi* ?

Pour une fois, les avis ne diffèrent pas : autant les informa-tions numériques, les données abstraites sont mal transmises par un canal extra-sensoriel, autant sensations, émotions et impres-sions se trouvent projetées fidèlement dans l'espace et le temps, sans que les dimensions temporelles et spatiales de l'expérience paraissent intervenir. La *nature* de l'information transmise est donc plus déterminante que la *distance* à laquelle on la transmet.

L'Américain Dean obtint des résultats vraiment positifs entre New York et Miami (2 000 km). Lors des tentatives de psycho-kinésie*, les transformations physiques ne sont pas obtenues par une action volontaire — « *je veux* que cette aiguille bouge » —, mais elles *adviennent* dans un climat émotionnel que l'on a pu comparer à celui de l'inspiration artistique : le sujet « sent » quelque chose, un quelque chose dont la nature échappe à sa raison, mais qui mobilise intensément sa sensibilité. Il est « agi » plus qu'il n'agit lui-même.

Or, nous retrouvons bien là une caractéristique de la mémoire inconsciente[1] qui semble jouer avec notre désir de nous souvenir

[1] Ou de la mémoire tout court, selon que l'on accepte ou que l'on refuse l'idée d'un inconscient extérieur à la conscience. Voir, à ce propos, de G. Ungar : *A la recherche de la mémoire* (Paris, Fayard, 1976).

— ou d'oublier. Le problème théorique et pratique, de l'utilisation des ressources *psi* inconscientes est le même que celui posé par le fonctionnement plus ou moins docile de la mémoire : ou bien les informations *psi* parviennent sans entrave à l'inconscient pour n'être filtrées qu'ultérieurement par une censure dont on devra s'efforcer d'atténuer les effets, ou bien le « récepteur » des informations *psi* est lui-même à développer, à perfectionner — tout comme la mémoire peut être atteinte soit dans ses structures profondes, bio-chimiques, soit dans le mécanisme de la réactualisation du souvenir. Cette alternative pose un problème fondamental concernant la nature des phénomènes *psi*.

Le blocage du psi inconscient

L'expérience S.-J. introduisait dans le déroulement d'une expérience *psi* un facteur inattendu : le temps. Parce que les expérimentateurs étaient partis d'une hypothèse — selon laquelle une expérience *future* pouvait, selon qu'elle serait plaisante ou désagréable, influer sur des résultats *actuels* —, ils purent confirmer et donc contrôler cet élément perturbateur. Mais la psychanalyse a montré que l'inconscient se joue, lui aussi, de nos catégories temporelles ; qu'il mélange allégrement aujourd'hui et avant-hier, l'enfance et l'âge d'homme. Freud s'est efforcé de donner un sens à cette confusion apparente. Il a décrit des lois d'agencement pour ces divers éléments du puzzle, des moyens de distinguer l'enchaînement réel — c'est-à-dire celui de notre espace-temps cartésien. En somme, il a converti une image à multiples dimensions en un dessin clair ayant une abscisse et une ordonnée. Rien ne nous prouve, au contraire, puisque nous ignorons la logique des phénomènes *psi*, que la seule façon de les concevoir dans leur fonctionnement propre soit de leur appliquer un modèle de ce type. Lorsque Mme R... voit son mari agonisant sur le champ de bataille, à plus de deux cent cinquante kilomètres, au moment même où l'événement se produit, on peut naturellement dire qu'il s'agit d'une coïncidence ; un esprit plus curieux parlera de la cristallisation, dans l'inconscient taraudé par des désirs de mort (quelle épouse, quel mari n'en a pas envers son conjoint, et d'autant plus vigoureux qu'ils sont plus profondément refoulés ?), d'un événement attendu, sinon souhaité ; le parapsychologue se demandera plutôt si Mme R..., ayant trop longtemps refusé les informations dramatiques de son «parapsychisme», ne se trouva pas, ce soir-là, dans un état physique et mental qui lui fit accepter ces informations. Certaines techniques utilisent l'hypnose[1] pour favoriser les résurgences inconscientes. «Hérésie !» crierait un psychanalyste connaissant l'habileté diabolique de l'inconscient à se dissimuler tout en paraissant se livrer. C'est, encore une fois, que le temps de la veille nous fait voir le monde d'une certaine manière, qu'il l'organise sans même que nous nous en apercevions ; le temps de l'hypnose n'obéit plus à cette logique. Il est un médiateur «neutre» (uchronique, pour employer un terme pédant, mais exact) qui fixe un enchaînement nouveau aux événements, tout comme, dans l'expérience S.-J., ce «quelque chose» qui détermine certains sujets à faire de bonnes réponses en dépit des lois causales ordinaires.

[1] Voir le chapitre ultérieur consacré à ce thème, page 97.

Perception et
extra-perception

Il n'est pas absurde d'assimiler le système nerveux à un disposi-tif de surveillance et d'intervention ou, plutôt, de déclenchement de l'intervention : une trop grande chaleur ressentie par les ter-minaisons nerveuses de l'épiderme produit un acte moteur d'évitement.

Certains physiologistes en ont déduit que « toute perception suppose une possibilité d'action » (Ribot), que la réponse poten-tielle est d'ores et déjà inscrite dans les structures du système nerveux. Si l'on admet que les facultés paranormales, en parti-culier le système des perceptions extra-sensorielles (S.P.E.S.), utilisent comme « terrain » le système nerveux, leur développe-ment doit être lié au sien.

Conscience du corps et rééducation télépathique

Le présent chapitre va être consacré au développement maximal de cette liaison par des moyens non chimiques. Il s'ouvre sur une recherche de la « prise de conscience » sensorielle par la méthode de Moshe Feldenkrais[1], méthode qui a le triple avantage d'être simple, totalement inoffensive et très efficace. Il se poursuivra par un survol d'une technique d'entraînement spécifiquement télépathique, celle d'Henri Marcotte, héritier et continuateur des travaux de Warcollier*. Les deux formules se complètent admirablement, bien qu'il n'y ait vraisemblablement eu aucun contact entre leurs auteurs.

Pour le cerveau, seul ce qui pense existe

« Si nous dessinions en couleur, à la surface de la région motrice de l'écorce cérébrale, les cellules d'un enfant d'un mois, qui commandent les muscles soumis à sa volonté en voie de développement, il en résulterait une figure assez semblable au corps de l'enfant. Mais celle-ci ne représenterait que les parties qui appartiennent déjà aux actes dictés par la volonté et non à l'anatomie des parties du corps [...]. Nous obtiendrions par conséquent une image fonctionnelle sur laquelle le corps de l'enfant serait indiqué par quatre traits minces, les bras, les jambes, reliés entre eux par une autre ligne plus courte et plus mince, le tronc, pendant que la bouche et les lèvres occuperaient la plus grande partie de cette image[2] »

On nomme « schéma corporel » l'image progressivement fixée au niveau même des cellules du cerveau. On en connaissait l'existence bien avant que les anatomistes ne s'intéressent à la « matière grise » (d'ailleurs rosâtre), et on l'avait baptisée du nom significatif d'*homunculus* (petit homme).

On sait avec certitude que les apprentissages, l'expérience quotidienne, les exercices mentaux ou physiques font « grandir » le petit homme. Ce changement n'est pas seulement quantitatif par l'augmentation du nombre des cellules actives ; il est également

---

[1] Docteur ès sciences, assistant de F. Joliot-Curie et P. Langevin, Moshe Feldenkrais a publié, en français, *la Conscience du corps* (Paris, Laffont, 1971). M. Feldenkrais est actuellement professeur à l'université de Tel-Aviv.
[2] Warcollier, ingénieur ancien président de l'Institut métapsychique international.

qualitatif, car les cellules s'assemblent en un nombre quasi illimité de combinaisons. La réalité physiologique rejoint les hypothèses des occultistes sur le *potentiel humain :* le psychisme est aussi un «devenir» dont nous pouvons bloquer ou favoriser l'accomplissement.

Le rôle de la vision dans la construction du psychisme est particulièrement important. La vision fait l'objet d'un processus complexe de codage, de transmission et de décryptage de l'information. Or, il est très frappant que nombre de grands médiums — ou d'individus, tel Inaudi, le calculateur prodige doué de facultés «hyper-normales» — aient décrit ce qui se passait en eux sous forme d'*images*. A cela M. Feldenkrais fournit une explication simple, mais satisfaisante : le mouvement est la base de la prise de conscience. «Un être ne s'aperçoit de ce qui se passe dans le système nerveux central que lorsqu'il se rend compte des changements qui se sont produits dans son attitude corporelle[1]. » A l'inverse, «l'amélioration de l'activité corporelle reflète une modification dans le centre de contrôle qui régit cette activité[2] ».

On peut donc émettre l'hypothèse que les informations extra-sensorielles sont perçues plus volontiers sous forme d'images[3] parce qu'elles dépendent, dans leur transmission ou dans leur réception, du même type d'organisation que les perceptions visuelles. La vue conditionnerait la «double-vue».

L'analyse d'un message psi

Le cerveau est divisé en deux hémisphères : le droit commande la moitié gauche du corps et groupe les centres nerveux perceptifs ; le gauche commande la moitié droite du corps et supporte

[1] M. Feldenkrais, *op. cit.*
[2] Idem, *ibid.*
[3] Consulter, à ce propos, les nombreux travaux d'Yvonne Duplessis parus dans la *Revue métapsychique* (nos 1 et 4, année 1966 ; no 11, année 1968) et l'ouvrage de Louis Farigoule (Jules Romains) : *la Vision extrarétinienne et le sens paroptique* (Paris, Gallimard, 1920.)

les zones dévolues aux centres spéculatifs, dont celui du langage.

D'assez fréquentes exceptions viennent néanmoins infirmer cette stricte division du travail. Il semble également qu'en cas de besoin — traumatisme, par exemple — une fonction normalement affectée à l'un des deux hémisphères puisse être transférée à l'autre. Or la vision est binoculaire, tandis que les fibres nerveuses de la rétine ne sont, de même que le nerf optique, qu'une prolongation du cerveau. Chaque « image » cérébrale est en fait la superposition de deux types d'information différenciés et analysés selon des modes différents, selon un codage particulier dans l'un et l'autre des deux hémisphères.

L'analyse d'un message *psi* peut donc être affectée non seulement par les problèmes de perception proprement dits (hémisphère droit), mais également par l'impossibilité du langage à transformer ce type d'information en mots : c'est très exactement ce qui se passe dans le cas des calculateurs prodiges. Ils « voient » les chiffres défiler devant eux, mais ils ne peuvent les fixer et les exprimer qu'à la fin du calcul, lorsque l'hémisphère calculateur laisse le champ libre à l'hémisphère transcripteur. Voici donc un premier exercice destiné à favoriser la communication entre les deux lobes cérébraux :

« Asseyez-vous confortablement sur le sol, les jambes croisées. [...] Essayez de vous peindre, avec un pinceau imaginaire et large d'environ deux doigts, la moitié gauche de la tête : imaginez que votre main gauche tient le pinceau et qu'elle le passe à gauche de l'axe médian de la tête, d'abord de la première vertèbre cervicale vers la nuque, en remontant par-dessus la boîte crânienne, puis qu'elle le redescend sur le front, sur l'œil gauche, sur la joue, les lèvres, le menton, jusqu'au maxillaire inférieur gauche, le long de la gorge, jusqu'à la clavicule gauche. Recommencez ensuite, en faisant un trait de couleur après l'autre, toujours de la largeur du pinceau, par-dessus la tête, le visage, le cou, jusqu'à ce que vous ayez, finalement, peint toute la moitié gauche de la tête[1]. »

---

[1] M. Feldenkrais, *op. cit.*

Ceci est le prototype de l'exercice de développement du schéma corporel : il augmente la perméabilité du cortex aux influences motrices que nous utiliserons par la suite dans les exercices de télépathie. Voici maintenant deux procédures pour augmenter la coordination entre l'appareil sensori-moteur et le système visuel, la machine à percevoir et la machine à transcrire :

1. *Debout, se balancer de droite à gauche.*

   « Mettez-vous debout, les pieds légèrement écartés, et balancez votre corps vers la droite et vers la gauche, les bras pendant librement à vos côtés. Quand vous vous balancerez vers la droite, votre main droite se balancera à droite derrière votre dos, et la gauche avancera sur le devant du corps, vers la droite également, comme si elle voulait dépasser le coude droit. Quand vous vous balancerez vers la gauche, la main gauche se balancera derrière votre dos à gauche et votre main droite se déplacera également vers la gauche, sur le devant du corps, pour dépasser la main gauche[1] ».

2a. *Les yeux fermés.*

   « Continuez à vous balancer et fermez les yeux. Assurez-vous que les mouvements de la tête sont fluides [...]. Balancez-vous de droite à gauche, et vice versa, autant de fois qu'il vous sera nécessaire pour trouver la réponse et pouvoir, au cours de l'exercice, observer le mouvement de toutes les parties du corps et de tous les membres qui y participent, sans interrompre le balancement, ni au début ni à la fin du parcours[1] ».

2b. *Les yeux ouverts.*

   « Ouvrez les yeux et balancez-vous comme précédemment. Voyez si vos yeux — comme s'ils étaient fermés — louchent vers le nez ou s'ils font quelque chose d'autre [...][1]. »

Ce dernier exercice met en évidence l'interaction entre les mouvements oculaires et la représentation du corps. De même que le

---

[1] M. Feldenkrais, *op. cit.*

larynx produit des mouvements imperceptibles lorsque nous li-
sons mentalement (c'est-à-dire sans émettre de sons avec la
voix), les yeux répercutent dans leurs mouvements les attitudes
corporelles et les processus mentaux « visuels ». En d'autres
termes, il suffit que nous pensions une image pour que notre œil
fasse comme s'il la voyait : la phase paradoxale du sommeil,
celle du rêve, est caractérisée par ces mouvements oculaires qui
en décrivent l'imagerie.

Nous nous trouvons confrontés, dès lors, au problème qui
nous était posé tout à l'heure par le calculateur prodige qui
« voit » le processus mental s'accomplir en lui sans qu'il y puisse
que recueillir, en fin de compte, un résultat, lui aussi visualisé.
Les exercices de M. Feldenkrais permettent de maîtriser la
transcription du « message » (dont la source se perd, en l'occurrence, dans les profondeurs neuroniques) d'une manière pour
ainsi dire mécanique : ils « bloquent » le défilement trop rapide
des images mentales.

Comment éviter les déformations « verbales »

Développer ses facultés paranormales, cela signifie donc, entre
autres, prendre conscience des limitations de notre appareil per-
ceptif. Dans un essai de transmission télépathique, par exemple,
l'information que l'on s'efforce de faire parvenir peut subir, à
l'origine, une première altération : l'agent* visualisant le message n'en percevra qu'une partie. D'une photographie aux détails multiples — un paysage, un portrait, etc. —, il ne retiendra
consciemment que des bribes : au premier plan, un accident de
terrain ou une bâtisse pour le paysage ; du portrait, un sourire,
un angle particulier du nez, etc.

Ces informations partielles, intégrées au système nerveux,
codées en langage « mental », n'en seront pas moins déformées
une seconde fois par la conversion en mots : il y a des éléments
visuels difficiles, sinon impossibles à verbaliser. Que dire des
impressions auditives, ou des couleurs pleines de nuances, de
valeurs subtiles ? Puis ce sera la transmission elle-même, avec
tout ce qu'elle comporte, hélas, d'imperfections. Mais ce n'est
pas tout : à ces modifications du message, sensibles en aval,

s'ajouteront les écueils propres à la réception. Le percipient*, même installé sur la bonne « longueur d'onde », fera subir au message des transformations d'une nature identique, bien que le processus soit inversé : filtre de la perception extra-sensorielle, filtre de la réception au niveau des centres nerveux, filtre de la verbalisation. Que restera-t-il de l'image initiale ? Probablement bien peu de chose. Les analogies qui résisteront à tout cela n'en seront que plus stupéfiantes ! En voici un exemple :

Dans l'un de ces essais, Warcollier regardait une photo de Hollande représentant des moulins à vent au bord d'un canal. Le sujet perçut : « Des femmes, bras dessus, bras dessous, en coiffes. Paysage hollandais, moulins à vent, canaux fleuris. » L'irruption des femmes se promenant dans la campagne était due à une pensée parasite de l'émetteur. Encore sommes-nous là en présence d'une transmission particulièrement réussie, l'émetteur connaissant parfaitement les conditions d'une liaison optimale. Dans la réalité vécue par les néophytes, les choses se passent d'ordinaire moins bien : le matériel télépathique qui doit être rejeté faute d'une exploitation possible est énorme. D'autant que l'interprétation statistique des résultats, possible avec les cartes de Zenner, ne l'est plus lorsqu'on transmet une information complexe dotée de significations multiples, symboliques, analogiques et affectée, comme dans l'exemple cité plus haut, de « greffes » inconscientes surajoutées.

Faut-il abandonner tout espoir d'utiliser la télépathie à partir de matériaux élaborés ? Certainement pas. D'abord, nous savons que les messages spontanés* sont bel et bien des ensembles complexes d'informations, qu'ils s'accompagnent de détails abondants et précis. C'est donc qu'il existe bien une possibilité de réception correcte. Ensuite, nous savons qu'il est possible de décomposer n'importe quelle information complexe en informations élémentaires. Par exemple, l'image d'un château dans un paysage campagnard peut être traduite par les termes simples suivants : « Maison — grande — terre — arbres ». Tout cela ne fait pas un château dans un paysage de campagne, mais s'en approche. Enfin, nous pouvons nous entraîner à percevoir des messages complexes, tout en contrôlant autant que possible les altérations connues subies par celui-ci.

Le « couple télépathique »

Revenons sur le premier point : la clarté des messages spontanés opposée à la confusion des messages «volontaires». A quoi attribuer une telle différence ? La réponse est simple : à une certaine coïncidence des états émotifs de l'émetteur et du récepteur. Le Dr Eugène Osty[1] fut le premier à souligner l'importance de cette symbiose émotive. Elle apparaît avec évidence dans bon nombre de petits faits : la sensibilité accrue d'un groupe à des stimuli qui resteraient inconnus d'un sujet isolé ; les « presciences» anodines concernant un proche, un parent ; toutes les intuitions orientées vers un sujet quelconque, objet de nos préoccupations, etc. L'expérimentation télépathique a montré l'importance d'une relation privilégiée entre un agent et un percipient. Bien qu'aucune donnée biologique ne puisse confirmer — pour l'instant — une telle hypothèse, les observations faites sur les jumeaux l'étaie, c'est le moins que l'on puisse dire ; le «couple télépathique» se forme-t-il autour d'une structure mentale semblable ? Dépendrait-il plutôt d'une analogie de caractère, ou d'émotivité, ou d'affectivité, produite par un milieu, une éducation, une hérédité commune ? Peu importe. Il convient seulement de retenir, avant d'évoquer une méthode active de télépathie sensorielle, que ces facteurs favorisent largement la réussite de nos tentatives.

La méthode d'Henri Marcotte

L'idée de cette méthode, qui est aussi une approche originale des P.E.S., est née d'une observation en apparence banale : les déformations du message télépathique ressemblent à celles occasionnées par une défaillance de l'appareil visuel. En décrivant la méthode de Moshe Feldenkrais, nous avons vu que le schéma corporel inscrit dans les structures du cerveau était « latent » ; qu'il lui fallait, pour parvenir à la conscience, se projeter dans un acte moteur, un mouvement ; que le langage verbal était lui-même, bien qu'imparfaitement, associé à ce processus ;

[1] Eugène Osty (1864-1938), médecin, il publia ses premiers travaux en 1913. Directeur de l'Institut métaphysique international à partir de 1924.

bref, que le télépathe ne transmet pas — ou ne reçoit pas — un message « plat », mais « en relief », largement fonction de sa relation corporelle.

Le sujet mal préparé perçoit une seule dimension du message transmis. Il n'en voit, comme un myope ou un presbyte, que le premier ou l'arrière-plan. Et, à partir de là, il doit reconstruire, faire la synthèse de la totalité de l'émission : d'où un décalage d'autant plus important que sa conscience du corps est incomplète. La première étape de la méthode Marcotte consiste donc à améliorer la vision du sujet, dans les trois dimensions de l'espace, et dans celle, aussi importante, du temps. En effet, la perception extra-sensorielle n'obéit pas aux lois de succession de la perception commune : lorsque je regarde un paysage, il n'est pas seulement découpé en tranches visuelles, mais aussi en tranches temporelles. Il y a ceci que je vois près de moi, puis cela, puis cette autre chose. L'information télépathique, elle, nous parvient d'un seul coup, globalement. Ce qui sera perçu, ce n'est pas le message proprement dit, mais la succession des états par lequel passe l'émetteur déchiffrant, lui, d'une façon linéaire, comme un myope, avançant dans un paysage, le découvrirait à mesure qu'il ferait entrer les différents plans dans son champ visuel limité.

La rééducation télépathique commence donc par un *apprentissage sensoriel*. Le sujet doit apprendre à combiner les plans perceptifs en une image synthétique (comme avec des lunettes stéréoscopiques). On commencera par le placer dans une situation réelle impliquant la coordination du perçu et du vécu : par exemple, une promenade dans un décor encombré d'objets, de points de repère. En bonne possession de son schéma corporel, le percipient éprouvera ce « cheminement », les hésitations du parcours, il « butera » sur les obstacles, etc. Henri Marcotte, d'une manière beaucoup plus analytique, commença par faire transmettre des *flashes* lumineux, qu'il nomme « tops » : le sujet apprend à décomposer et à épurer les éléments de l'image transmise. Il fait ses gammes. L'important est qu'il fasse remonter à la conscience, de la manière la plus claire et la moins ambiguë possible, l'information qui lui parvient. L'avantage de cette démarche, c'est qu'elle passe par des « tout ou rien » qui ne laissent aucune part à l'autosuggestion : on voit ou l'on ne voit pas. La transmission des « tops » lumineux montre combien les informations perçues au niveau du système nerveux diffèrent de l'image reconstituée, réinterprétée : « C'est ainsi que lors de l'étude du champ visuel, de la composition élémentaire du champ visuel, nous avions trouvé des « grains » correspondant à la vision du rouge, du bleu et du vert, mais que, en ce qui concerne le jaune, le violet, etc., nous n'obtenions jamais que des taches diffuses ; il semblait que la vision de ces couleurs, n'étant pas fondamentale, ne pouvait résulter que de la composition secondaire des trois couleurs fondamentales : le rouge, le bleu et le vert, et non le rouge, le bleu et le jaune comme nous l'avions cru jusqu'ici. Or, ce fait a été confirmé ultérieurement par l'expérimentation physiologique[1]. »

[1] H. Marcotte, « Autour de la psychologie », in *Encyclopédie de la psychologie* (Paris, Nathan, 1973).

L'hypnose et les
méthodes dérivées

Le scolopendre et l'aigremoine

D'après le *Manuel de psychiatrie* de Porot (1952), « on donne le nom d'hypnose à un sommeil incomplet de type spécial, provoqué artificiellement ». Le sommeil, donc la normalité : il semble, en effet, qu'après deux siècles de lutte, l'hypnose — état de conscience particulier ayant certaines analogies avec le sommeil — soit sortie du domaine de l'« occulte »[1].

Notons au passage que, le premier à avoir systématisé les pratiques « hypnotiques » sous son nom, Mesmer* lui attribuait effectivement une origine naturelle : « Un fluide universellement répandu et constitué de manière à ne souffrir aucun vide, dont la subtilité ne permet aucune comparaison et qui, de sa nature, est susceptible de recevoir, propager et communiquer toutes les impressions, est le moyen de l'influence mutuelle entre les corps célestes, la terre et les corps animés. » Malheureusement, la discussion sur la nature du phénomène de « sommeil artificiel » cacha la forêt de questions posées par le comportement de l'hypnotisé : dès les premières enquêtes de l'Académie royale

---

[1] « C'est toujours un mystère, mais c'est maintenant un mystère confortable. » (W. Harman.)

de médecine sur le mesmérisme, les manifestations «anorma-
les» — surtout des guérisons — passèrent au second plan.
«Certes, il (Mesmer) a réussi à faire qu'un hydropique enfle et
désenfle sous les yeux mêmes des visiteurs. Bah ! c'est l'imagination qui a joué (on ne dit pas celle de qui...). Et il n'est pas
question de tenir compte de pareilles billevesées quand on possède déjà pour des maux de ce genre une gamme de remèdes
d'une incomparable variété.» Dont la scolopendre et l'aigre-
moine, les racines de fenouil et d'asperge !

Comment hypnotiser ?

Techniquement, l'obtention du sommeil hypnotique nécessite : 1° un
environnement favorable à la somnolence ; 2° le consentement du sujet ; 3° une manipulation et des paroles «relaxantes».

1° *L'environnement*. Les voyageurs de commerce acquièrent un sommeil de plomb ou deviennent insomniaques parce qu'ils doivent s'endormir dans des conditions différentes d'un jour à l'autre. Il n'en est pas
de même pour les «hypnotisés». Le bruit, la lumière, l'émotion sont
autant de facteurs qui inhibent le sujet et noient l'effort de suggestion
dans un flot d'informations parasites. Première exigence, donc, placer
le sujet dans un lieu calme, une douce pénombre, une position confortable favorables à l'endormissement. Certaines personnes éprouvent
l'allongement comme une situation de vulnérabilité désagréable :
mieux vaut alors les faire asseoir.

2° *Le consentement du sujet*. C'est un facteur psychologique essentiel
(et une exigence morale) : le sujet doit consentir à être hypnotisé. Non
seulement les sujets rétifs sont rarement hypnotisables, mais il est de la
plus extrême importance que le futur hypnotisé croit à la possibilité de
l'hypnose et aux «talents» de son hypnotiseur : c'est la première étape
de la suggestion.

3° Avec les gestes et les paroles de l'hypnotiseur, nous touchons à
l'essentiel.
   L'hypnose n'est pas une soumission, mais une véritable *relation*.
Cette relation est fondée sur un transfert de volonté : l'hypnotisé, placé
dans des conditions de réceptivité optimale, régresse de sa position
d'adulte à un stade infantile de dépendance. L'hypnose proprement
dite, c'est-à-dire le déclin de la vigilance, n'est que le premier stade du
phénomène hypnotique. C'est, en quelque sorte, son contenant. On y

parvient par la fixation oculaire, la relaxation et la suggestion verbale.

Le sujet est couché ou assis. L'hypnotiseur, placé près de lui, va utiliser soit un pendule, soit une montre de gousset, ou n'importe quel objet qu'il animera devant ses yeux d'un mouvement régulier de balancement : «un bruit monotone» — tic-tac, métronome, ronflement — peut constituer un fond propice» (Dauven, voir la bibliographie).

L'hypnotiseur demande au sujet de fixer son attention sur le pendule. De la fixer et non de la concentrer, et surtout pas de la crisper. Il doit créer un état hypnoïde d'attention relâchée et, pour cela, prononcera d'une voix aussi monotone que possible des phrases d'incitation : «Regardez ce pendule... Suivez-le du regard...» Ces phrases doivent être répétées un grand nombre de fois sans crainte de se lasser.

Quand la première phase est atteinte, l'hypnotiseur peut induire la seconde en tâchant d'obtenir le relâchement musculaire. Il dira alors : «Vos paupières sont lourdes... Vous avez sommeil... Vous ne pouvez résister au sommeil...» Le sujet cessera de fixer le pendule pour «s'endormir» et subir à plein la suggestion verbale.

Il parviendra ainsi à la «transe moyenne» caractérisée par l'effet de «gant» : les extrémités deviennent insensibles à une piqûre. C'est également durant cette phase que pourront s'opérer les premières suggestions «actives» («Levez les bras»... «Dites-moi votre nom», etc.).

Bibliographie : Granone (F.) : *l'Hypnotisme* (Turin, 1962) ; Baruk (H.) : *l'Hypnose* (P.U.F. «Que sais-je ?», n° 1458) ; Dauven (J.) : *Les Pouvoirs de l'hypnose* (Saint-Jean-de-Braye, Dangles, 1977).

Mais les véritables faits paranormaux commencèrent à se manifester — au moment où Mesmer lui-même renonçait à la consécration médicale — grâce aux frères Puységur. Le benjamin obtint des guérisons à bord de la frégate qu'il commandait ; le cadet aménagea un baquet à Bayonne et promit six cents livres, déposées à la mairie, à quiconque prouverait que les guérisons dont il faisait état n'étaient pas véritables. Quant à l'aîné, il reproduisit chez lui, à Buzancy, les expériences de Mesmer et, comme lui, magnétisa un orme : ce fut un triomphe. «Le traitement était plus doux que celui du baquet, les crises, rares, étaient moins violentes. Les placides campagnards s'assoupissaient plutôt qu'ils ne s'exaltaient. Le prodige fut que l'un d'eux, un certain Victor, que Puységur soignait pour une fluxion de poitrine, tomba dans une sorte de transe, s'endormit sans pour autant cesser de se mouvoir (à la façon des somnambules qui marchent sur les toits...) et, parlant avec une aisance qu'on ne lui avait jamais connue, discourut sur sa maladie de façon stupéfiante[1]. » Puységur constata également que Victor, en état de somnambulisme, s'occupait de ses affaires et tenait la conversation sur les sujets les plus divers. « En plus de cette transformation de malades en médecins, les sujets — car Victor fit école — lisaient dans la pensée du magnétiseur, découvraient les objets cachés et prédisaient même l'avenir. Des émules de Puységur ajoutèrent à cette nomenclature métapsychique ce que Sollier a appelé, il y a quelques années, l'autoscopie, c'est-à-dire la vision des organes internes et la transposition des sens[2]. » Quelques années après les expériences de Puységur, Pététin, un médecin lyonnais, présenta une femme qui, plongée en catalepsie, voyait, entendait, sentait et goûtait par l'épigastre et par le bout des doigts. Et Pététin ne croyait pas au magnétisme animal !

La chirurgie mesmérienne

Si, en France, l'« excommunication » de Mesmer par la Faculté de médecine eut un certain effet stérilisant sur la recherche, il n'en fut pas de même dans le reste de l'Europe. En 1815, deux médecins allemands, Kluge et Wollfahrt, publièrent des cas de lecture à distance sous sommeil artificiel. Un autre médecin allemand, Kerner, observa durant trois années une femme, prénommée Frédérique, l'un des premiers grands médiums de l'ère moderne : plongée en léthargie, cette femme se montrait capable de déplacer des objets à distance, de « voyager » en esprit, et de reconnaître des minéraux au fluide qu'ils émettaient. La « Voyante de Prevorst », comme on la surnomma, passionna l'opinion allemande, et Schopenhauer lui consacra un important chapitre de la Volonté dans la nature. Mais c'est en Angleterre que le paranormal sous hypnose fut le plus précocement et le plus complètement étudié, grâce à un chirurgien de grande re-

---

[1] Jean Dauven : les Pouvoirs de l'hypnose (Saint-Jean-de-Braye, Dangles, 1977).
[2] « Autour de la psychologie », dernier volume de Encyclopédie de la psychologie (Paris, Nathan, 1973).

nommée, J. Elliotson[1]. Bien que l'interdit porté contre le mesmérisme se fût étendu à la Grande-Bretagne, Elliotson crut de son devoir d'en étudier l'application possible à la chirurgie. Cela faillit lui coûter une très belle situation officielle, mais, finalement, il eut gain de cause. A Exeter, l'un de ses disciples, le Dr Parker, effectua près de deux cents opérations sur des patients magnétisés. Dans un autre coin du (futur) Empire britannique, à Calcutta, Esdaile pratiqua deux mille interventions sous hypnose : « L'histoire s'acheva en apothéose, avec la création d'un hôpital mesmérien, une clientèle de rajahs et cent témoins de marque, car ses salles d'opération étaient devenues une des curiosités de la ville[2]. »

Azam reprend le fil...

La pratique chirurgicale allait-elle faire oublier les phénomènes étranges auxquels donnaient lieu les « magnétisations » ? Après que Braid[3] eut entrevu la nature de la relation hypnotiseur-hypnotisé, créé ces deux termes et posé les fondements de la méthode hypnotique moderne, un Français, Azam, reprit le fil de la tradition interrompue : « Ayant répété les expériences du médecin de Manchester sur des sujets hystériques, il constata la conformité de l'attitude au sentiment moral de l'hyperesthésie* des sens : le tic-tac d'une montre fut entendu à une distance de huit à neuf mètres, la chaleur de la main sentie à quarante centimètres du dos. »

Durant son premier siècle d'existence, l'hypnose a connu bien des vicissitudes : à l'engouement du mesmérisme succéda la condamnation « par ignorance », puis la récupération spirite et le discrédit porté sur le magnétisme en général. Dans la seconde moitié du XIXe siècle, on ne lui reconnaissait plus qu'un intérêt médical pour ses vertus anesthésiantes : l'invention de l'anesthésie au protoxyde d'azote, puis à l'éther mit fin à cet usage.

---

[1] J. Elliotson (1791-1868), professeur à l'université de Londres, fut l'un des fondateurs de l'hôpital connexe. Il présidait la Société royale de médecine.
[2] *Les Pouvoirs de l'hypnose, op. cit.*
[3] James Braid (1795-1860), médecin écossais, fut le premier à recourir à des inducteurs mécaniques, pendule, montre, etc.

Quant à la « super-intelligence » du paysan Victor, aux manifestations d'hyperesthésie, aux glossolalies*, on les remisa au magasin des accessoires...

Il fallut donc attendre le XXᵉ siècle pour qu'on utilisât l'hypnose dans un but purement parapsychologique — non, il est vrai, pour produire des phénomènes *psi*, mais pour en favoriser l'apparition.

La méthode de Milan Ryzl

« On doit au Dr Ryzl[1] la première publication des travaux scientifiques conduits en parapsychologie en Europe orientale, plusieurs années avant celle du professeur L.L. Vassiliev, de Leningrad, considéré comme le père de la recherche parapsychologique au-delà du rideau de fer. » Or, c'est à l'Est que l'hypnose, revue et corrigée selon l'orthodoxie pavlovienne, jouit actuellement du plus grand crédit. Jointe à une curiosité intéressée pour le paranormal, l'étude de l'hypnose aboutit à une méthode originale de développement des facultés *psi*. « L'hypnose, déclarait M. Ryzl, est un outil efficace pour atteindre le but que je me propose. Je n'affirme pas que ce soit le meilleur outil, mais il a des avantages réels, tels que d'épargner le temps perdu lorsqu'on emploie, par exemple, la méditation[2]. »

Selon Mylan Ryzl, il y a trois conditions *sine qua non* pour activer les facultés paranormales. La première de ces trois conditions — nous avons vu qu'elle pouvait être remplie par une technique de méditation comme le yoga — est d'obtenir un état de calme psychique, de sérénité, dans lequel le mouvement habituel de la pensée est suspendu. Le sujet doit pouvoir se concentrer sur un seul concept, une seule idée.

Le second point, toujours selon Milan Ryzl, est de maintenir un haut niveau de motivation — l'état d'esprit d'un étudiant qui

[1] Milan Ryzl est titulaire d'un doctorat en physique et en chimie de l'université de Prague. Membre de l'Académie des sciences de Tchécoslovaquie, il reçut, en 1963, le Prix Mc Dougall pour ses travaux éminents dans le domaine parapsychologique.
[2] Interview accordée à D. Hammond dans *The Search for Psychic Power* (Londres, Corgi, 1976).

se présente à un examen et convaincu de l'avoir correctement préparé. La psychologie du conditionnement nous montre que les limites de notre activité mentale sont fréquemment imposées par l'environnement socio-culturel. Tout, bien sûr, n'est pas possible par la seule force de la volonté, mais tout devient impossible en l'absence d'un ferme désir de réussir.

La troisième condition s'apparente un peu à la seconde : elle réside dans l'absence, éprouvée subjectivement, de *tabous* mentaux, de résistances affectives. « De toutes les barrières à franchir, la plus difficile à surmonter est le fait que la civilisation tout entière nous prédispose contre la réalité des facultés paranormales. On nous apprend à faire confiance à nos facultés de raisonnement — la logique —, mais jamais à notre intuition. Dès la naissance, nous devons nous ajuster au niveau matériel de l'existence. Si je devais résumer ma méthode, je dirais que j'utilise l'hypnose pour abaisser les barrières et conduire le sujet à un état d'esprit favorable[1]. »

De toutes les particularités de l'état hypnotique, la moins discutée, parce que la plus évidente, est la suggestibilité du sujet : « L'hypnotisme est un état psychique rendant le sujet qui s'y trouve susceptible de subir la suggestion d'autrui. Il se manifeste par des phénomènes que la suggestion fait naître, que la suggestion fait disparaître, qui sont identiques aux accidents hystériques[2]. » Cette propriété fut utilisée par Milan Ryzl pour limiter l'action des conditionnements négatifs, l'« esprit critique » du sujet. Il y réussit à merveille et parvint à révéler à lui-même un *psychic* qui s'ignorait, devenu par la suite l'une des grandes vedettes de la parapsychologie : Pavel Stepanek[3].

---

[1] D. Hammond, *op. cit.*
[2] D'après Babinski (1857-1932), chef de clinique de Charcot; il démontra que les symptômes réels des désordres cérébraux ne pouvaient être contrefaits.
[3] En 1961, Ryzl soumit Stepanek, qui ignorait tout de ses dons, à un test de Zenner : Stepanek devina 1 114 cartes sur 2 000, exploit qu'il n'avait qu'une chance sur un milliard de réussir par hasard.

La phase préhypnotique

Le déroulement d'une séance d'hypnose est déterminé en grande partie par la période de préparation. Nous verrons que les effets posthypnotiques jouent également un rôle de première importance dans la méthode de Milan Ryzl. « Le premier soin de l'hypnotiseur sera d'exposer au patient que rien, dans l'opération, n'implique une supériorité de celui qui la conduit sur celui qui la subit, de l'opérateur sur le sujet. Encore moins une domination ou — ce que l'on peut craindre parfois — une dépendance durable[1]. » On doit d'abord stimuler la confiance en soi du sujet, lui suggérer qu'il pourra, effectivement, accomplir ce dont l'environnement social l'a convaincu qu'il était incapable. « Ryzl insiste sur la nécessité d'un état de totale réceptivité ; sans cela, images et information reçues ou émises seraient « parasitées » par des données personnelles[2]. »

Lorsque la transe[3] hypnotique est atteinte, l'opérateur entame une série d'exercices de clairvoyance simples, consistant, par exemple, à identifier des objets. C'est alors qu'intervient le *feed-back* suggestif, décomposable en deux éléments : d'une part, la correction proprement dite : « Vous avez bien répondu » : ou : « Vous vous êtes trompé, le dé était dans ma main droite, pas dans la gauche. » D'autre part, une critique des impressions qui ont accompagné la bonne réponse : « J'essaie de leur apprendre à distinguer subjectivement les impressions correctes de celles qui ne le sont pas. Je vérifie leurs réponses immédiatement et je leur demande de se souvenir de ce qu'ils ont ressenti quand ils répondirent correctement[4]. »

L'affectivité joue un rôle primordial non seulement dans l'obtention de la transe hypnotique — Charcot n'employait que des « excitations intenses », mais il travaillait, il est vrai, avec de grandes hystériques —, mais dans l'augmentation des performances auxquelles parvient le sujet, quelles que soient ces per-

---

[1] Les Pouvoirs de l'hypnose, *op. cit.*
[2] *The Search for Psychic Power, op. cit.*
[3] Cf. dans le dossier : « Comment induire une transe hypnotique. »
[4] *The Search for Psychic, op. cit.*

formances : l'hypnotisé veut plaire à l'hypnotiseur ; il veut être performant, autant qu'un bon élève devant un maître admiré. En transe moyenne se produit le phénomène de «gant», nommé ainsi parce que les extrémités — en particulier la main — deviennent partiellement insensibles : largement exploitée au music-hall, cette anesthésie n'a rien de paranormal, pas plus que la rigidité cataleptique, bien que les modifications extraordinaires constatées dans la résistance physiologique du sujet n'aient pas trouvé, à l'heure qu'il est, d'explication rationnelle satisfaisante. Milan Ryzl pousse rarement jusqu'à ce stade de la transe : cela n'est pas nécessaire, les «barrières» étant d'ores et déjà franchies et l'esprit du sujet préparé à admettre ce qui lui paraît impossible en période de veille.

La phase posthypnotique

L'étape finale de la méthode mise au point par Milan Ryzl, la phase posthypnotique, est de loin la plus importante. Le parapsychologue tchèque s'est en effet aperçu que les blocages socio-culturels dénoués sous hypnose réapparaissaient à l'état vigile, aussi forts et aussi contraignants qu'auparavant. Les hypnotiseurs professionnels ne se font plus d'illusion, depuis fort longtemps, sur la pérennité de leur action : Charcot en fit, le tout premier, l'expérience lorsque, après avoir en un clin d'œil (et ce n'est pas une image) «guéri» des hystériques, il les vit tout aussi rapidement rechuter. Ryzl a fourni de nombreux exemples de facultés paranormales «activées» avec succès sous hypnose et disparaissant, hélas, sans laisser de trace, après réintégration de l'état de veille. L'un des plus connus est celui d'une jeune fille, prénommée Josefka, qui donna 121 réponses correctes sur 250 au test de Zener, lorsqu'on la plongea en état d'hypnose. Statistiquement, un tel résultat a une chance sur un trillion d'être obtenu par pure chance ! Malheureusement, Josefka ne conservait rien de ses dons la séance terminée[1].

Ryzl emploie donc la phase posthypnotique à renforcer le sujet dans la conviction qu'il peut se servir de ses facultés paranormales sans passer pour un fou, un malade ou un excentrique.

[1] Cf. M. Ryzl : «Training the *spi* Faculty by Hypnosis», in *Journal of the American Society for Parapsychological Research*, n° 41.

Les rêves psi sous hypnose

Au Maïmonides Medical Center de New York, l'un des hôpitaux les plus vastes et les plus modernes du monde, on poursuit aussi un programme de recherches *psi* utilisant l'hypnose. Le responsable en est le professeur Charles Honorton[1]. « Au cours de mes études précédentes, déclare-t-il, j'ai pu constater que les sujets hypnotisés — en particulier les plus suggestionnables — font fréquemment des « rêves » de clairvoyance. Ils se montrent capables, par exemple, de voir une image cachée dans une enveloppe. » Pour reprendre la phrase, déjà citée, de W. Harman, « l'hypnose est toujours un mystère, mais c'est maintenant un mystère confortable ». Ainsi, tandis que des sociétés médicales se constituent dans le monde entier pour promouvoir l'emploi thérapeutique de l'hypnose, alors qu'en Chine communiste, pour le peu qu'on en sache, de nombreuses interventions chirurgicales sont pratiquées sous suggestion, le travail des parapsychologues commence à les attirer vers le sommeil artificiel. Il ne fait pas de doute qu'un prodigieux avenir s'ouvre devant eux.

« Voici, reprend le Dr Honorton, un type d'expérience auquel nous nous livrons : nous commençons par recruter une soixantaine d'hommes et de femmes de 18 à 53 ans. Nous les payons (ça va plus vite) et nous faisons subir une procédure d'induction hypnotique classique à la moitié d'entre eux. En état de veille, l'autre moitié se voit présenter des images durant un temps identique à celui de la transe hypnotique, soit vingt à trente minutes. L'induction hypnotique comprend des exercices de relaxation et les suggestions ordinaires : «Détendez-vous... votre corps, vos paupières sont lourds... » Les sujets éveillés sont mis au courant de la liaison supposée entre l'état d'hypnose de leurs collègues et l'imagerie mentale qui leur est proposée. Les deux groupes de sujets ont été testés auparavant grâce à l'échelle Barber de suggestibilité (B.S.S.)[2].

---

[1] C. Honorton est, avec Stanley Krippner et Montague Ullman, le responsable du « laboratoire du rêve » de ce même hôpital de Brooklyn. Beaucoup de spécialistes considèrent ce centre de recherches spécialisées comme le plus important du monde.

[2] *Zéro* correspond à la veille ; *quatre* indique la transe profonde.

« Nous constatons alors qu'il y a des sujets plus suggestionnables que d'autres : par exemple, dans un groupe de trente, un tiers environ était hautement suggestionnable, un tiers moins profondément, un tiers très superficiellement. Ce classement est très important puisqu'il nous permet de comparer l'efficacité relative des différents états de conscience altérée. Après cette phase de mise en condition, les sujets hypnotisés sont pris un à un et nous leur annonçons qu'ils vont « rêver » quatre images. Nous les prévenons que ce seront des rêves très réalistes. Nous leur disons : « Vous allez vous enfoncer dans l'image, l'observer de l'intérieur, *y participer*. » Puis, après une rêverie d'environ cinq minutes, nous les réveillons et nous les questionnons sur le rêve qu'ils ont fait. »

La démarche du professeur Honorton est donc radicalement différente de celle de Milan Ryzl. Chez Ryzl, les facteurs « veille » dominent : le but de l'hypnose est d'utiliser la haute suggestibilité de certains sujets — minoritaires, semble-t-il, d'après les résultats obtenus par Honorton — pour « débloquer » la conscience *psi*, balayer les défenses, favoriser le surgissement du refoulé. Chez Honorton, la transe hypnotique est employée de manière plus directe, comme terrain de la transmission *psi*.

Voyons les résultats obtenus au Maïmonides Hospital : « Lors du dépouillement, la qualité de l'expérience vécue par les sujets hypnotisés va de : « J'ai découvert le monde des rêves » à : « Rien du tout »[1]. Or, les résultats montrent que seuls les sujets hautement suggestionnables obtiennent des résultats de clairvoyance significatifs. Les autres parviennent au même niveau que le groupe de contrôle non hypnotisé[2]. »

Cette expérience montre, d'une part, que la proportion de sujets *psi* doués est, sous hypnose, de beaucoup supérieure à ce qu'elle est en état de veille. On parlera donc de facteur favorisant ; d'autre part, elle indique que les perceptions *psi* nécessitent un niveau de transe en deçà duquel on n'obtient rien. Pas question, donc, pour un hypnotiseur amateur, de crier victoire à

[1] Test U de Mann-Whitney.
[2] C. Honorton : « Significant Factors in Hypnotically Induced Clairvoyant-Dream », in *Proceedings of Parapsychological Association* (Durham, 1971).

la première coïncidence venue : il s'agira sans nul doute de suggestion. Il importe plus que jamais d'isoler l'information à transmettre — image ou message — non seulement de l'hypnotisé, mais de l'hypnotiseur.

Précognition et états parahypnotiques

Les travaux de Milan Ryzl et de Charles Honorton aboutissent à un résultat commun qui doit retenir notre attention. Chez Pavel Stepanek, comme dans le groupe des «bons hypnotisés» du Maïmonides Hospital, les performances accomplies après une préparation hypnotique ou sous hypnose sont incomparablement meilleures que celles de l'état de veille. Pour employer une formule un peu pédante, le *saut quantitatif semble indiquer une modification qualitative*.

A quoi attribuer ce changement sous hypnose ? Il est possible que nous trouvions la réponse dans la tradition, grâce aux pratiques de divination et, tout particulièrement, celles qui employaient comme inducteur des objets brillants, boule de cristal, surface liquide, gemmes, etc[1]. Dès le XIIIe siècle, Guillaume d'Auvergne, évêque de Paris, constatait que, de tous ceux qui se proposaient de prédire ainsi l'avenir, seul un petit nombre y parvenait en fait : la plupart du temps, un individu sur une douzaine. «Cette observation, ajoutait l'évêque, a conduit certains sages parmi les Anciens à dire que ces moyens, utilisés pour faire apparaître des visions, ne possèdent que la possibilité d'orienter la force de pénétration de l'esprit (je veux dire de l'esprit de celui qui regarde l'instrument sur soi-même). En fait, la brillance des instruments *empêche le contemplateur de disperser son attention sur des objets extérieurs ; elle les refoule et les dirige sur soi-même, car elle est forcée de regarder en ellemême.* » Passons sur les intuitions — proprement géniales ! — de cet ecclésiastique qui découvre en plein cœur du Moyen Age la dynamique de l'esprit et le processus du refoulement ; retenons l'idée que c'est la «force de pénétration de l'esprit» qui est stimulée par le simple fait qu'elle agit sur un seul point. La

[1] Cf. H. Bender : *Etonnante parapsychologie* (Paris, C.A.L., 1977).

qualité de la réceptivité change avec la «quantité d'attention» fixée sur l'information. Traduisons simplement par : on entend mieux ce qu'on écoute, et l'hypnose, par le monoïdéisme (la fixation sur une seule idée), «fait écouter». L'hypnose agit comme un appareil acoustique qui amplifierait le signal ordinairement perçu et qui ferait, d'une série d'informations fragmentées, un message intelligible : d'où le passage du «monde du rêve» au «rien du tout». «C'est là, écrit Hans Bender, que se trouve en vérité le secret des antiques pratiques mantiques : par leur effet fascinatoire, des corps luminescents appellent, surtout s'ils sont transparents, l'œil et l'imagination à remplir l'espace vide d'images[1].»

Naturellement, toute la question est de savoir comment l'imagination du sujet est capable de remplir ces vides avec des informations objectives qu'elle n'a pu engranger auparavant. Le problème de la restitution est partiellement résolu par l'utilisation de l'hypnose, mais celui de la transmission et de l'assimilation reste entièrement posé.

[1] H. Bender : *Etonnante parapsychologie, op. cit.*

Les facultés psi et leur action dans l'espace

Parmi les toutes premières études scientifiques consacrées aux phénomènes *psi* dans le monde naturel, on trouve des recherches sur les pigeons voyageurs. Il y avait à cela deux raisons principales : la première concernait les pigeons, animaux, dont le sens de l'orientation singulier a, de tout temps, fasciné les hommes ; la seconde raison provenait des hommes mêmes, qui auraient bien voulu pouvoir installer sur leurs bateaux de commerce ou de guerre, leurs aéroplanes ou leurs trains, quelque machinerie inspirée du « sixième sens » des pigeons.

Les animaux nous donnent une idée de ce que pourraient être des facultés *psi* intégrées à la vie quotidienne, comme le sont la vue et l'ouïe.

La télesthésie dans le monde animal

Dans un certain nombre de cas, l'étude des cas *psi* animaux relève à la fois du paranormal et de l'hypernormal. L'un des cas les plus connus est celui d'un cheval étudié par le professeur

116

Rhine. « Lady », la jument, s'était révélée capable de répondre à des questions de cet ordre : « Quelle est la racine carrée de 64 ? » ou : « Epelez-moi le mot Mésopotamie. » Dans le premier cas, elle frappait du sabot, dans le second, elle posait son museau sur des feuilles de papier où l'on avait inscrit un alphabet[1]. »

Quelques parapsychologues amateurs crièrent au miracle, jusqu'à ce que le professeur Rhine intervint. Il comprit bien vite que la jument ne pouvait répondre qu'à la condition — suffisante, mais indispensable — qu'une personne de l'assemblée connaisse la réponse. En fait, « Lady » avait développé (par quelle modification profonde son psychisme ? une question qui mériterait, en soi, qu'on l'étudie) un don d'observation exceptionnel, et elle lisait, littéralement, la réponse sur le visage des spectateurs : un mouvement de l'œil, un rictus, un frémissement de la main lui indiquait où elle devait s'arrêter[2]. Mais l'histoire n'est pas finie. Par acquit de conscience, le professeur Rhine dissimula le regard de « Lady » derrière un masque : elle continua à fournir de bonnes réponses ! Il fallut bien admettre que la jument conjuguait une rare capacité d'observation à des dons paranormaux, usant des uns et des autres quand la nécessité s'en faisait sentir.

C'est ici que doit se justifier l'étude, dans un même chapitre, de certains phénomènes observés dans le règne animal et des possibilités de développement de la créativité humaine par des voies paranormales : nous sommes là au confluent de la pensée et de l'action. Bien que l'intuition reste un phénomène mystérieux — surtout en ce qui concerne la création artistique —, il ne fait pas de doute qu'elle se transforme et même se développe au fur et à mesure de son emploi. Jusqu'à devenir, chez les insectes, par exemple, un élément du potentiel génétique au même titre que les élytres ou les pattes. La créativité de l'animal — ce

[1] L'Allemand Pfungst a publié, il y a quelques années, une étude célèbre sur *Hans le Malin*, autre cheval prodige, assez semblable. Cf. Pfungst : *Clevers Hans* (New York, Holt, Rhinehart et Winston, 1965).
[2] Cette technique de « clairvoyance » fondée sur une observation extrêmement aiguë des mouvements du public a été mise au point par l'illusionniste anglais Cumberland. On l'a nommé depuis Cumberlandisme.

don mystérieux qui lui permet de donner des solutions originales à des problèmes nouveaux posés par l'environnement ou un laborantin facétieux — n'est perceptible à l'homme qu'en de rares circonstances : la lutte pour la vie condamne à l'adaptation et ne permet qu'aux « surdoués » de survivre. Comme nous ignorons à peu près tout des normes qui régissent le fonctionnement des sociétés animales, l'intervention des facultés *psi* se fond dans un ensemble de conduites banales. Rien ne distingue le vol d'un oiseau migrateur d'un quelconque déplacement saisonnier, jusqu'au moment où l'on découvre qu'il prend son essor lorsque les conditions climatiques sont idéales au point d'arrivée, à quelques milliers de kilomètres de là.

Mais revenons à nos pigeons.

On sait désormais que les chauves-souris emploient pour se diriger des ultrasons de longueur d'onde ultra-courte. On sait également que les abeilles s'orientent grâce à la lumière polarisée du soleil. Il semble aussi, d'après des recherches récentes, que certaines espèces de singes « voient » les rayons X[1]. Bref, nous avons à notre disposition suffisamment d'explications rationnelles de ce genre de phénomènes pour en bannir l'hypothèse *psi*... A moins que les pigeons...

Matthews, dès 1968, émit l'hypothèse que le repérage des pigeons était fondé sur l'observation des mouvements du soleil le long d'un arc de faible rayon[2]. On sait en effet que tous les animaux possèdent une sorte d'horloge biologique : cet aspect du « relevé » effectué par les pigeons ne pose donc pas de difficulté. Par contre, il était plus difficile d'expliquer que certains animaux soient parvenus à s'orienter après seulement *dix secondes* d'observation. Des parapsychologues se donnèrent donc la peine d'y aller voir de plus près. J.G. Pratt et ses collaborateurs mirent au point une batterie de tests, dont certains utilisent des « pigeonniers baladeurs » que l'on déplace à volonté. Les pigeons, ignorant le nouvel emplacement de leur gîte et, par conséquent, ne pouvant pas se repérer au départ sur une quel-

---

[1] D'après *New Scientist*, avril 1972.
[2] Matthews : *Bird Navigation* (Londres, Cambridge University Press, 1968).

conque position du soleil, les réintégrèrent néanmoins sans erreur. Des expériences toutes récentes montrent en outre que les pigeons conservent cette étonnante faculté lorsqu'on les a aveuglés par un masque[2]. Or, jusqu'à présent, personne n'a rapproché ces étonnantes performances des « clairvoyances d'orientation », telles qu'elles peuvent être obtenues lors des séances de « rêve éveillé » (un sujet se déplace avec précision dans un décor qu'il ne connaît pas, les détails sont flous, mais la disposition des pièces, les obstacles sont parfaitement perçus et évités, etc.), dans les exercices de méditation ou les souvenirs de « déjà vu », bref, dans toutes les circonstances où la clairvoyance s'appuie sur un espace et, pour ainsi dire, naît de lui[2]. Ce qui est très frappant dans ce sentiment particulier de l'espace, c'est qu'il s'impose avec une précision rigoureuse, bien plus grande que tous les autres types de vision. Les « expériences hors du corps » en sont le témoignage le plus évident[3].

Les voyages hors du corps

On parle de « voyage hors du corps ». On parle de bilocation. On parle d'effet Doppelgänger... et l'on fait référence au même type d'expérience : le déplacement de la conscience de son lieu de résidence habituel — le corps du sujet — à un point souvent très éloigné. De ce point, le sujet est capable d'observer les événements qui passent à sa portée et, après avoir réintégré son enveloppe charnelle, de les décrire. A première vue, nous sommes dans le domaine du numéro de music-hall, du charlatanesque, de l'inconcevable. Mais le cas de Patrick Price est là pour

[1] Phénomène dont le nom s'abrège en anglais O.O.B.E. (*Out of the body experiences*).
[2] J.G. Pratt : *Parapsychology : an insider's View of E.S.P.* En ce qui concerne les pigeons aveugles, consulter *New Scientist*, octobre 1972.
[3] Expériences que l'on peut relier aux antiques méthodes de mémorisation. Cf. A. Michel : « Le mystérieux chef-d'œuvre de Giulio Camillo », in *Question de* n° 18.

nous ramener sur terre. Tout a commencé lorsque Price, homme d'affaires prospère, éprouva violemment le besoin de rapports humains qui ne soient pas seulement utilitaires. Price rejoignit un groupe de scientologie[1]. C'est à lui qu'il doit la révélation de ses dons paranormaux : « Le premier exercice que me demandèrent d'accomplir les scientologistes semblait n'avoir aucun sens. Ils me dirent qu'avant de pouvoir communiquer avec quelqu'un il fallait que les deux parties fussent réellement et effectivement là. Cela avait un sens en soi ; c'est la façon dont ils me demandèrent de procéder qui ne semblait pas en avoir : je devais m'asseoir ici, me dirent-ils, et *vouloir* intensément communiquer avec quelqu'un assis en face de moi, le vouloir durant deux heures. Il fallait seulement rester assis confortablement, sans essayer de distraire la galerie ou de l'intéresser. C'est un des plus rudes obstacles que j'aie jamais eus à franchir. »

Le processus d'extériorisation commença peu après. « Après trois minutes environ à contempler mon vis-à-vis, je me pris à m'observer moi-même. Tout en sachant que j'avais un corps, je contemplais ce corps de l'autre bout de la pièce. Savoir que l'on possède un « moi » indépendant de ce que l'on a toujours pensé être son moi total, savoir que ce moi réel ne peut mourir, c'est l'expérience la plus exaltante que j'aie jamais faite[2] ! »

Laissons de côté les convictions religieuses de Price sur l'immortalité de cette « âme » séparable à volonté du corps. Reste une expérience qui ne manqua pas d'attirer les parapsychologues dès qu'ils en entendirent parler. Harold E. Puthoff[3] demanda à Price de se soumettre à un petit test. « Puthoff me présenta un appareil laser qu'il mit en marche. Il me dit qu'un rayon était orienté sur une cible et me demanda d'essayer de le dévier. Je me concentrai, et l'aiguille témoin se mit à bouger, indiquant une modification de l'axe du rayon. Hal (Puthoff) sembla trou-

---

[1] L'Eglise de scientologie, fondée par Ron Hubbard, associe les méthodes traditionnelles de connaissance de soi aux « auditions », séances au cours desquelles deux individus s'interrogent et se découvrent l'un l'autre.
[2] D. Hammond : *The Search for Psychic Power, op. cit.*
[3] Physicien spécialiste du laser. Travaille au laboratoire de bio-ingénierie de l'université Stanford.

ver cela très important, mais, pour moi, cela ne signifiait pas grand-chose.» Puthoff était convaincu d'avoir affaire à un «client sérieux». Il confia à Price deux relevés topographiques, sous forme de coordonnées en longitude et latitude et lui demanda de «voyager» vers ces deux points. «Ma première tentation lorsque je rentrai chez moi, avoue modestement Price, fut de regarder sur une carte à quoi correspondaient les deux relevés. Finalement, je n'en fis rien et me fiai entièrement à mon don». Price réussit dans les deux cas : la première fois, il «voyagea» jusqu'à la côte Est, dans une région montagneuse ; la seconde fois, après un périple qui rappelle les aventures de Nils Olgersonn perché sur le dos d'une oie sauvage, il atteignit un champ de bataille de la guerre civile et, supputant que son récit paraîtrait incroyable à beaucoup, il nota une inscription qui figurait sur un monument commémoratif. Tout cela, d'une manière instantanée, et pour ainsi dire sans que sa volonté soit intervenue. Price décrit le déclenchement de l'O.O.B.E. comme une sorte de «boum !» pareil aux enchantements des fées de Walt Disney, transformant, d'un coup de baguette magique, un beau prince charmant en vilain crapaud. Comme il s'y attendait, les récits que fit Price de ses voyages provoquèrent, même chez les observateurs les mieux disposés, une certaine méfiance, pour ne pas dire une méfiance certaine. Puthoff était sceptique. Il voulut en avoir le cœur net et entama une série d'expériences décisives dont la publication, dans le grand magazine *Nature*, en octobre 1974, étouffa les ricanements des «chèvres» les plus radicales[1].

Ce « truc » n'est d'aucune utilité... *sauf spirituel*

Ce qui est intéressant dans le cas de Patrick Price, c'est, d'abord, qu'il ne tire aucun profit matériel de ses dons. Lui-même a très peur de se voir «sollicité» par un service de renseignements, et il se répand partout en affirmant que «ce truc n'est strictement d'aucune utilité, sauf spirituelle». On peut donc difficilement le soupçonner de «voyager» pour arrondir ses fins de

[1] H. Puthoff et R. Tart : «Information Transmission under Conditions of Sensory Shielding», in *Nature*, octobre 1974.

mois ou se rendre intéressant, suspicion légitime à l'égard de nombreux aigrefins du paranormal. Mais Price est également un sujet curieux en ce qu'il aime évoquer ses expériences hors du corps, auxquelles il prend d'ailleurs un plaisir mal dissimulé. Ces innombrables confessions, et les résultats obtenus par Puthoff à Stanford, par Tart à l'université de Californie (Davis)[1] — sur un autre sujet à bien des titres exceptionnels, Ingo Swann — permettent de définir quelques conditions très favorables aux « voyages hors du corps »[2].

Comme nous l'avons dit plus haut, les O.O.B.E. se produisent quelquefois sous hypnose ou dans un état de vigilance amoindrie. Certains médiums font allusion à une période de décalage entre le corps et l'esprit au moment où se produisent des précognitions. De fait, ce qui semble distinguer les voyages hors du corps de certaines clairvoyances extrêmement précises concernant des événements géographiquement lointains, c'est l'absence du corps du sujet dans le panorama découvert par le voyageur : Price ou Swann se déplacent tout en sachant que leur *apparence corporelle* est ailleurs.

Contrairement à ce que l'on pourrait croire, les expériences hors du corps sont très fréquentes, mais bien peu de gens les considèrent comme un fait exceptionnel, parce qu'elles se confondent avec l'imagerie mentale[3] ou certains processus de la conscience déclinante, par exemple lors de l'endormissement ; enfin, beaucoup de gens craignent que rapporter une bilocation — un autre nom pour O.O.B.E. — ne les conduise directement au cabanon[4]. « Ce phénomène peut également être produit par certaines drogues, tout particulièrement les hallucinogènes, mais les accidents graves, les chocs et traumatismes de toutes sortes, sans parler des réanimations après une attaque cardiaque fournissent autant de témoignages de voyages hors du corps[5]. »

---

[1] Cf. dans le dossier, p. 178 : « La dame qui flottait au plafond ».
[2] Mais ils n'en continueront pas moins à être le privilège de sujets exceptionnels. Les O.O.B.E. sont de toutes les expériences dont nous avons parlé jusqu'ici les seules à « choisir leur terrain ». Pour l'instant du moins.
[3] Cf. Desoille, *op. cit.*
[4] Consulter de G. Clérambault : Automatisme mental et Psychoses hallucinatoires chroniques (1942).
[5] W. et M.J. Puhoff, *op. cit.*

Assez rares, par contre, sont les sujets capables, comme Price ou Swann, de provoquer un O.O.B.E. Brad Steiger a dressé une liste des circonstances où un voyage spontané hors du corps a des chances de se produire. Elles sont au nombre de sept[1] :
1) lorsque le sujet dort ;
2) sous anesthésie ;
3) au moment d'un accident, sous l'effet d'un grand choc ;
4) lorsqu'on surmonte une intense douleur physique ;
5) durant les « morts cliniques » suivies de réanimation ;
6) au moment de la mort (pour apparaître à une personne avec laquelle le sujet a un lien affectif) ;
7) par une action volontaire(?). *a été prouvé »*

Ce dernier point se réfère aux études de Charles Tart sur un sujet exceptionnel, Robert Monroe. « Au laboratoire d'électro-encéphalographie de l'université de Virginie, Tart étudia longuement Monroe dont il essaya d'obtenir le déclenchement d'un voyage hors du corps. » Les sept premières nuits, il ne se passa rien ; mais, la huitième, il repéra deux brefs O.O.B.E., insuffisants, hélas, pour constituer des preuves. Tart était conforté, néanmoins, dans son désir de poursuivre ses recherches. Il parvint ainsi à la conclusion que Monroe « voyageait » dans la première phase du sommeil, au moment où les gens ordinaires rêvent. Toutefois, Tart put obtenir la preuve que les O.O.B.E. ne sont pas des rêves, en observant les mouvements oculaires du dormeur[2].

Ce qui semble curieux dans l'expérience de Monroe, c'est qu'il parvienne, semble-t-il, à provoquer le voyage hors du corps durant son sommeil, comme s'il possédait une infracons-cience volontaire, capable d'enregistrer un ordre durant la veille et de le mettre à exécution à retardement. Cette forme d'induc-tion est radicalement différente des phénomènes observés lors des précognitions spontanées ou des clairvoyances de rêve éveillé, dont l'une des caractéristiques est d'intervenir au mo-ment de l'endormissement. Il semble également — et Janet Mit-chell a rassemblé sur ce point quantité de documents[3] — que les

[1] Brad Steiger et Williams Loring : *Minds through Space and Time* (Award Books, 1971).
[2] W. et M.J. Puhoff, *op. cit.*
[3] A.S.P.R. *Newsletter*, n° 14, 1972.

descriptions faites par les voyageurs soient incomparablement plus précises que celles obtenues par un sujet *psi* usant de facultés perceptives extra-sensorielles. Tous les détails fournis par les voyageurs sont d'ailleurs loin d'être exacts. Ce mélange de réalité et d'invention pose un problème supplémentaire aux analystes ou à ceux qui, plus simplement, voudraient comprendre, pour voyager aussi. Il existe sans doute une étroite corrélation entre les phénomènes de projection sensorielle — que l'on parvient à développer par différentes méthodes d'élargissement de la conscience (méditation), de déplacement de la conscience (hypnose) ou de stimulation biochimique (L.S.D.) — et les O.O.B.E. Si ces derniers ne peuvent être facilement reproduits en laboratoire, c'est qu'ils font intervenir d'autres aspects de l'hypothèse *psi*, des aspects non pas parapsychologiques, mais extra-psychologiques, dont aucune théorie ne rend encore parfaitement compte.

Les hallucinogènes

En août 1951, Pont-Saint-Esprit, dans le Gard, va connaître une étonnante épidémie d'apparitions. Plusieurs habitants de la ville voient surgir devant eux les «fantômes» de voisins, de parents morts depuis des années. Des familles entières entrent en convulsions, des hommes et des femmes jusque-là équilibrés se livrent à ce qu'il faut appeler des actes de folie...

La municipalité s'inquiète. On convoque des médecins ; un ingénieur des eaux et forêts analyse l'eau de boisson ; on passe en revue toutes les hypothèses vraisemblables : sans résultat. C'est le laboratoire de toxicologie qui donna la clef de l'énigme : un parasite d'apparence bien innocente, l'ergot de seigle, qui se développe en milieu humide.

Dès 1943, Hoffmann, de Bâle, en extrait, avec Stroll, l'acide lysergique, dont le diéthylamide a des propriétés extraordinaires : le L.S.D. (de l'allemand *Lyserg Säure Diethylamid*) est né[1].

Le L.S.D. est un psychodysleptique* classé dans la catégorie des hallucinogènes ou onirogènes. «Ces psychodysleptiques sont de trois catégories distinctes : à la catégorie inférieure appartient la marijuana, à la catégorie moyenne appartient la mescaline, qui est la substance active de certains champignons hallucinogènes du Mexique [...]. Dans la catégorie supérieure se trouve également le L.S.D. qui, en raison de ses propriétés, semble vraiment constituer un cas particulier[2]. »

Lorsqu'on commença à tester le L.S.D. dans les laboratoires (très tôt, puisque Hoffmann, ignorant les effets de la substance qu'il venait d'isoler, en absorba lui-même des quantités énormes), certains observateurs crurent qu'il avait pour principal effet de produire des «psychoses expérimentales», c'est-à-dire de rendre temporairement fou. Des chercheurs italiens firent bientôt la distinction entre les symptômes schizophréniques et les manifestations du L.S.D., beaucoup plus étendues et variées[3].

L'une des grandes différences entre les états psychiques induits par le L.S.D. et ceux que l'on constate chez les grands psychotiques tient à la nature des hallucinations. Une description d'un voyage hors du corps ressemble, d'une manière d'ailleurs assez inquiétante, aux hallucinations schizoïdes, tels que Guy de Maupassant les a si admirablement décrites dans *le Horla* : ce qui distingue Price ou Monroe d'un schizophrène, c'est — la nuance est de taille — l'existence *d'éléments extérieurs objectifs*, tels que les descriptions de paysage qui permettent de contrôler la réalité du voyage. Mais le phénomène de dissociation de la personnalité est bien le même : le sujet se voit ici, tout en ayant la conviction d'être ailleurs. Sous L.S.D., le sujet ne sort pas de son corps, mais il en voit les facultés perceptives, sensorielles et émotives décuplées.

[1] Sur l'affaire Pont-Saint-Esprit, consulter *Toute la vérité : le pain maudit de Pont-Saint-Esprit*, J.P. Imbrohoris et R.V. Pilhes (Paris, Grasset, 1977).
[2] E. Servadio, in *Autour de la psychologie, op. cit.*
[3] Cf. de Servadio et Cavanna : *Experiments with L.S.D. and Psylocibin*, (New York, Parapsychological Foundation, 1964).

Le travail intellectuel est, dans un certain nombre de cas, grandement facilité (autre différence importante avec la psychose) : l'une des propriétés les mieux établies du L.S.D. au niveau des structures nerveuses est, en effet, d'augmenter le métabolisme de la sérotonine qui sert de tremplin à la transmission de l'influx nerveux. « La rapidité de la conduction nerveuse et des associations cérébrales est des millions de fois supérieure au rythme le plus rapide de la pensée rationnelle qui a été évalué à pas plus de trois concepts ou dix phonèmes à la seconde. Les instruments de notre pensée consciente sont donc adaptés à nos capacités cérébrales à peu près comme le mètre d'un tailleur est propre à mesurer la vitesse de la lumière[1]. » C'est toutefois sur le plan émotionnel que les phénomènes parapsychologiques proprement dits sont favorisés par le L.S.D.

Le dialogue silencieux

Il est clairement établi que les effets du L.S.D. varient notablement en fonction de deux facteurs principaux : la quantité de substance absorbée et le substrat psychologique du sujet. Le premier point relève d'une analyse chimique complexe, et nous ne l'aborderons pas ici. Contentons-nous de souligner l'importance d'une surveillance médicale stricte et compétente. Le second facteur doit, par contre, d'un point de vue parapsychologique, retenir notre attention. On pourrait résumer en une phrase la somme considérable d'expériences effectuées dans ce domaine : *le L.S.D. ne révèle que ce qui existe déjà.* Sur ce point, les résultats coïncident avec ceux obtenus par Charles T. Tart[2] observant les intoxications par la marijuana : près de quatre-vingts pour cent des drogués utilisant des substances psychédéliques et non les drogues dures, comme l'héroïne, affirment croire à l'existence de la télépathie et en avoir fait l'expérience. « J'étais tellement conscient de ce que pensaient mes proches, déclarait l'un d'eux, que ce devait être de la télépathie, ou de la lecture de pensée, plutôt qu'une augmentation de ma sensibilité à leurs comportements, comme on le dit souvent. »

[1] E. Servadio : *Autour de la psychologie, op. cit.*
[2] Ch. T. Tart : *A Psychological study of Marijuana Intoxication* (Palo Alto, Science and Behaviour Books, 1971).

Ce qui se passe lors d'un voyage au L.S.D. est difficile à décrire ; on parle quelquefois d'exaltation, de joie cosmique, mais les mots — chétives références au monde d'ici-bas — sont impuissants à en exprimer la totalité et l'«épaisseur». Les hyperesthésies*, fréquentes, s'intègrent dans un contexte préparé avec beaucoup de minutie : éclairage, musique, rituels qui fondent quelquefois, comme le peyotl chez les Indiens Kiowas, une véritable *religion de l'hallucination :* les manifestations télépathiques se présentent non point comme l'échange d'un message déterminé, mais à la manière pénétrante d'une communication intime et, pour ainsi dire, familière, le dialogue silencieux de gens qui se connaîtraient de longue date et évoqueraient, dans une veillée, leurs souvenirs, leurs impressions communes…

Les drogues visionnaires

Hoffmann, décrivant sa propre expérience du L.S.D., écrivait : « Dans un état de demi-conscience, les yeux fermés, des images fantastiques d'une extrême réalité et un kaléidoscope de couleurs intenses m'assaillent […]. Il était particulièrement remarquable de constater que les sons étaient transposés en sensations visuelles, de sorte que, pour chaque bruit, une image correspondante, changeant de forme et de couleur, était produite[1]. » Tous les stimuli sensoriels acquièrent une précision, une netteté inconcevable. Un grattement le long d'une règle métallique est perçu mille fois amplifié, comme le bruit des chutes du Niagara ; un mouvement du bras s'éternise et se décompose en milliers d'harmonies que le voyageur savoure béatement. L'intellect subit une accélération de ses processus, au point, comme le dit E. Servadio, que le langage parlé se révèle un instrument débile d'expression et de traduction ; les jeux de mots se multiplient et se démultiplient en cascades ininterrompues ; des raisonnements subtils sont élaborés en une fraction de seconde et détruits par ceux qui leur succèdent, aussi rapidement et facile-

---

[1] Et voilà qui nous introduit tout droit aux «Illuminations» : *A noir, E blanc, I rouge, U vert, O bleu : voyelles, Je dirai quelque jour vos naissances latentes…* (Rimbaud, *Voyelles*).

ment. On a parlé, à propos des modifications de ce genre, de « dilatation de la conscience », tandis que l'on notait par ailleurs l'absence d'un « surdéterminant volontaire » — expression barbare que l'on peut traduire par... conscience[2]. En effet, si l'organisation sensorielle subit des modifications radicales, si l'environnement est pour ainsi dire transcendé au point de gommer les éléments les plus fondamentaux de la relation au monde du sujet[3], on doit constater l'impuissance de ce dernier à dominer son voyage, à en faire un périple touristique, plutôt qu'un carnaval délirant[4]. De ce fait, et quel que soit le profit qu'il en tire, l'utilisateur du L.S.D. est, sous l'effet de la drogue, au-delà de lui-même : « Le « vécu » du drogué n'a aucun sens dans les termes du monde ordinaire[5]. » Cela signifie, entre autres choses, qu'il ne peut utiliser son expérience qu'*a posteriori*. C'est alors que Thomas de Quincey écrit *les Confessions d'un mangeur d'opium* ; que Baudelaire écrit *les Paradis artificiels* ; que Michaux écrit *Misérable miracle* et Aldous Huxley *le Ciel et l'Enfer*... Pour le parapsychologue, le développement brutal et incontrôlé de certaines facultés fascinantes en elles-mêmes n'a que peu d'attraits : il se retrouve confronté à des phénomènes spontanés qui l'agacent et le déroutent. « Dans mon étude sur les perceptions extra-sensorielles et la marijuana, je demandai à mes « cobayes » s'ils avaient eu des relations télépathiques. Ma question n'était pas : « Avez-vous eu réellement des communications télépathiques ? », car la chose importante était de savoir si les fumeurs d'herbe avaient éprouvé de telles expériences [...]. C'est essentiellement le niveau d'analyse auquel nous sommes parvenus[6]. »

---

[2] R.E.L. Masters et J. Houston : *The Varieties of Psychedelic Experiences* (New York, Rinehart et Winston, 1966).
[3] Le sujet se sent capable de voler comme un oiseau et se jette par une fenêtre. Premier cas : Affaire Franck Holson, novembre 1953.
[4] W. Pannke : « The Use of Psychedelic Drugs », in *parapsychological Research* (New York, Parapsychological Foundation, 1971).
[5] Interview de Charles Tart par James Grayson Bolen, in *Psychic*, vol. 4, février 1973.
[6] Même interview de Ch. Tart par J.G. Bolen.

Aussi décevante que soit cette conclusion, on ne doit pas perdre de vue que si les effets de la drogue sont connus, les processus de son action restent pour la plupart mystérieux, tout comme ceux du phénomène *psi*. Mais le cerveau, les drogues psychédéliques en fournissent la preuve, est un continent qui reste encore à découvrir.

Des travaux pratiques psi

Lorsqu'il leur fut impossible de contester que l'évolution des espèces obéissait à des lois, les fondamentalistes[1] « récupérèrent » la sélection naturelle et lui donnèrent un contenu biblique. Ils expliquèrent, par exemple, que les grands dinosauriens avaient disparu au moment du déluge, parce que la porte de l'arche de Noé était trop petite pour qu'ils puissent en franchir le seuil !

L'attitude des « chèvres » est à bien des égards semblable lorsqu'il s'agit non plus seulement de prouver l'existence de facultés paranormales, mais de les divulguer, de les vulgariser, de les développer. Et comme beaucoup de « chèvres » occupent des fonctions importantes dans les organismes qui dispensent le savoir officiel, comme ce savoir officiel est le seul à disposer de pouvoirs importants, les efforts pour mettre les facultés *psi* à la portée du public sont condamnés à la clandestinité ou à la misère.

Ne nous étonnons donc pas de ne pas trouver de chaire de parapsychologie dans une Université qui refusa, tant que cela fut possible sans trop-de ridicule, d'enseigner le freudisme.

[1] Partisans d'une exégèse littéraire des livres saints, les fondamentalistes affirment que toute explication du monde naturel peut y être trouvée.

Examinons plutôt les moyens de suppléer à ce manque de curiosité par l'initiative privée : c'est ce que se proposent de faire, d'ores et déjà, un certain nombre d'associations «sans but lucratif». Toute personne qu'intéresse le paranormal peut et — dans le cas où elle pense être douée — doit s'affilier à une organisation de ce type.

Comment former un groupe de recherches ?

Un groupe de recherches parapsychologiques possède un certain nombre de caractéristiques ; d'abord, il est très généralement composé de personnes qui croient aux phénomènes paranormaux, qui y croient, pour ainsi dire, par principe, bref, de «moutons». Ce fait, qui pourrait passer pour un avantage, est un énorme inconvénient. En effet, non seulement la crédibilité du groupe est entamée auprès du public non concerné, mais les recherches en pâtissent elles-mêmes. Sans crainte du paradoxe, on peut dire que la première qualité d'un homme de science — et, même au niveau très empirique où nous sommes, les participants «font» de la science —, sa première qualité, donc, est la circonspection.

Qui n'a jamais assisté à une réunion de spirites ne peut comprendre les ravages causés par le désir de croire poussé à son paroxysme...

Le groupe de recherches *psi* qui succombe à cette tentation facile — et toujours présente, même dans un environnement sérieux — est condamné à ne pas obtenir de résultats, à piétiner autour de quelques événements anecdotiques et conjecturaux.

Dans la mesure du possible, et cela nécessite beaucoup d'habileté et de psychologie, il faut donc faire participer aux travaux des «chèvres», utiliser ce qu'elles apportent de sens critique, de don pour les hypothèses «rassurantes» (la vérité l'est quelquefois) : rationalistes acharnés, sceptiques endurcis, ricaneurs impénitents. Cela est la *première indication*.

La *deuxième indication* porte sur la longueur des projets envisagés, leur durée. La parapsychologie est maintenant une science dotée d'une vraie littérature, de publications, de laboratoires

nombreux (étrangers, certes, mais nombreux tout de même). Il est impossible de la considérer sérieusement comme un tout : il faut se spécialiser. Se spécialiser, donc,
1) dans le choix des objectifs ;
2) dans le choix des méthodes.

Prenons un exemple. Le traitement de l'information statistique réclame des ordinateurs. Ces jouets coûtent cher, mais la présence d'un informaticien dans le groupe peut vous donner accès à une console, pour un temps limité et à prix raisonnable.

D'une manière générale, il faut également choisir des objectifs « motivants », c'est-à-dire entraînant une participation active de chaque membre du groupe.

Voici, à titre d'exemple, le programme proposé à des débutants (c'est-à-dire des personnes n'ayant aucune idée de ce dont la parapsychologie scientifique s'occupe) dans une grande université américaine :
1) Visite d'une classe à une démonstration de clairvoyance.
2) Confrontation avec un médium.
3) Une expérience avec des plantes : des pensées « favorables » peuvent-elles favoriser la croissance des plantes ?
4) Ecoute de voix paranormales enregistrées sur bandes magnétiques[1].
5) Examens de skotographies.
6) Photographies de champs d'énergie (Kirlian)[2].
7) Test de Zenner.
8) Psychométrie.
Troisième indication : connaissance des participants. Les résultats optimaux ne peuvent être obtenus que dans des groupes disposant d'une information suffisante. Et cette information doit être répartie entre les participants de manière telle que le progrès de chacun participe du progrès collectif et vice versa.

---

[1] Lire, à ce sujet, *Breakthrough*, par Raudive, et *Hints on Receiving the Voice Phenomenon*, par Richard K. Sheargold (Van Duren Press, Gerrards Cross, Bucks., England).
[2] Appareils disponibles chez Th. van der Veer, « Aura Electronics », Vlaardingen, Westhavenkade, 97 (Pays Bas).

Quatrième indication : établir un dénominateur commun. L'une des difficultés les plus évidentes dans un groupe de recherches *psi* est due aux interprétations variées que tout phénomène paranormal — reconnu comme tel — suscite immédiatement. Cette pluralité d'interprétations donne toute sa richesse à l'étude de la télépathie, des psychocinèses, etc., mais elle affaiblit considérablement sa capacité de théoriser, et donc de systématiser les recherches.

L'expérience d'un peu plus d'un siècle de recherches sur le paranormal montre, sans conteste, que la définition d'objectifs — aussi différents soient-ils d'un groupe à l'autre — est indispensable à l'obtention de résultats positifs. C'est ce qui explique la variété des hypothèses sur la nature du paranormal — beaucoup plus d'hypothèses que de certitudes, il faut en convenir — qui fait sourire les sceptiques.

C'est ce qui fait aussi l'intérêt d'un domaine pratiquement neuf, dans lequel il est possible d'apporter encore une véritable contribution, aussi réduits soient les moyens dont on dispose. A condition de trouver ce dénominateur commun... Ce qui implique, entre autres choses, l'emploi d'un vocabulaire précis, la définition des termes usuels, l'unification des procédures de travail. L'Institut métaphysique[1] tient à la disposition des amateurs des dictionnaires établissant, selon les orientations philosophiques des diverses écoles, cette unité de langage, ainsi que des protocoles d'expériences.

[1] Institut métaphysique, 1, place Wagram, 75017 Paris, tél. 924 65 48.

Dossiers et documents

L'influence de l'expérimentateur

« L'influence de l'expérimentateur sur les résultats dans la recherche parapsychologique » ou : « Celui qui teste influence-t-il celui qui est testé ? »

L'importance de l'enthousiasme

Ce n'est pas une idée nouvelle en parapsychologie et, bien avant les parapsychologues, les psychologues se sont intéressés à l'influence qu'exerce l'expérimentateur sur les résultats d'une expérience. Une fois admise, constatée, cette influence a été et doit être utilisée. « Tous les moyens ou procédés qui pourront être utilisés par l'expérimentateur pour inspirer confiance, faire clairement comprendre l'importance des tests et susciter et maintenir l'ambition de réussir au mieux (la « motivation ») devront être utilisés[1]. » En d'autres termes, lors d'une expérience à plusieurs participants, les observateurs ne doivent pas se cantonner dans un rôle passif, mais mobiliser toute leur bonne volonté afin que l'expérience réussisse.

[1] Rhine et autres : *E.S.P. after sixty Years,* p. 341 (Holt, 1940).

En 1937, deux Américains, Sharp et Clark, établirent que les performances des sujets testés variaient en fonction de l'attitude des expérimentateurs. Une contre-expérience de McFarland confirma ces travaux. McFarland fit tester un groupe unique de sujets par deux expérimentateurs. Au premier on avait prédit qu'il obtiendrait de bons résultats et à l'autre, de bien plus médiocres. Les résultats « confirmèrent » ces indications, totalement arbitraires, cela va de soi. McFarland nota toutefois avec surprise que l'influence exercée par l'expérimentateur ne semblait pas dépendre de ses rapports avec le groupe testé, mais seulement de son degré subjectif d'enthousiasme : on émit alors l'hypothèse que les facteurs psychologiques en œuvre dans la motivation plus ou moins grande de l'expérimentateur pouvaient être transmis, à son insu, au groupe de sujets testés.

Cette communication entre testé et testeur se manifestera, entre autres, lorsque ce dernier éprouvera fatigue ou soucis. La baisse du niveau des performances lorsque les tests se prolongent (effet de déclin*) est en partie expliquée par la lassitude de l'expérimentateur. Rhine a suggéré de modifier les procédures expérimentales, les protocoles d'expérience, l'environnement, etc., afin d'éviter ou de diminuer les effets de la fatigue sur les résultats[1].

Peut-on éviter la communication de sa propre motivation (ou de sa non-motivation) ?

« Certains de mes amis, déclarait Robert Rosenthal, furent particulièrement heureux quand je leur fis part des résultats de mes travaux établissant l'influence de l'« attente » de l'expérimentateur sur les résultats qu'il obtient.

Nous avons toujours su que ce phénomène existait, me dirent-ils suavement. C'est pourquoi nous travaillons avec des rats ». Les chercheurs pensent éviter cette « contamination » en utilisant des animaux, moins réceptifs aux messages humains, même télépathiques.

« A la première occasion, reprend Robert Rosenthal, j'achetai des rats, et je fis une expérience classique. Lâchés dans un

[1] D'après Kennedy (J.E.) et Taddonio (J.L.), in *The Journal of Parapsychology*, vol. 40, n° 1.

labyrinthe, les rats doivent se diriger vers la portion du plancher éclairée. La moitié des expérimentateurs que j'avais réquisitionnés pour l'occasion reçurent des rats du laboratoire de Berkeley (grande université américaine), section « surdoués » ; tandis que l'autre moitié recevait des « rats-crétins ». Nous constatâmes bientôt que, bien qu'ils fussent de la même origine, les rats « brillants » obtenaient de meilleurs résultats que les rats « débiles »[1]. »

Elargir la notion d'expérimentateur

Toutes ces constatations ont une conséquence pratique sur la méthodologie de l'éducation *psi* : elles établissent l'importance du milieu dans lequel on tente de découvrir ou d'améliorer ses facultés supranormales. White, Angstadt et Honorton ont suggéré, pour plus de clarté, d'étendre la notion d'expérimentateur à tous ceux qui, n'étant pas le sujet de l'expérience, y participent néanmoins : l'expérimentateur, bien sûr, mais aussi son assistant, les techniciens, les spectateurs, la famille, etc.[1].

Le « sabotage »

La motivation de l'expérimentateur peut avoir une influence bénéfique, si elle est positive ; elle peut également avoir une influence négative, et pas forcément en agissant sur l'esprit du sujet.

En 1963, Eisenbud suggéra que les petits incidents matériels qui viennent perturber le déroulement normal d'une expérience — défaillances mécaniques, erreur de procédure, enregistrements « blancs », etc. — pouvaient être causés par le « sabotage » involontaire d'un expérimentateur télépathe peu motivé[1].

---

[1] D'après Rosenthal (R.) : « The Silent Language of classrooms and laboratories », in *Proceedings of the Parapsychological Association*, vol. 8.

La tradition indienne et les facultés psi

Dans la tradition orientale, le développement des facultés supranormales constitue un moyen et non une fin. L'évolution spirituelle du néophyte s'achève par la fusion, l'immobilité bien-
heureuse, et ne fait que traverser une période de maîtrise dynamique.

Le yogi, dans son travail du corps, vise à dominer les fonctions naturelles et le *tantrika* (ou néophyte) à les inverser. Dans
une première période, le yogi « efface » le monde extérieur par le
contrôle de ses fonctions de relation, des processus physiologiques qui l'asservissaient à la réalité ; dans une seconde période,
ayant dégagé l'énergie psychique indispensable à force d'exercices, le yogi l'emploie à découvrir le monde intérieur et à
développer les facultés qui vont au-delà même de cette réalité.

Le yoga et le tantrisme sont enseignés en Inde depuis des
siècles. On les y a toujours considérés comme des « voies » (à la
fois technique, ascèse) vers des états de conscience grâce auxquels des *siddhis*, ou phénomènes supranormaux, peuvent se
manifester.

D'une certaine manière, la parapsychologie a donc toujours été enseignée en Inde. Non seulement la possibilité d'une communication paranormale et l'existence de pouvoirs surpranaturels étaient longuement discutées dans presque toutes les écoles, mais il semble même que l'on se soit efforcé de les mettre en pratique dans les écoles religieuses, brahmaniques et bouddhiques.

Le yoga

Dans l'Upanishad[1], *Kata*, le yoga, est décrit comme une maîtrise des sens : «Quand les cinq instruments de la connaissance sont encore liés à la pensée et que l'intellect n'agit plus, on a atteint le plus haut degré. Cela, le strict contrôle des sens, est appelé yoga.» Cette définition archaïque a été privilégiée par l'Occident : elle n'est pas inexacte, mais incomplète. Plus tard, Svetasvatara mentionnera pour la première fois le Dhyana-yoga, où «yoga de la méditation», et parlera des différents états psychiques qui l'accompagnent : «De telles expériences sont évidemment du domaine de l'incommunicable et les textes restent très discrets sur le processus interne permettant l'accession à un niveau suprahumain (supramental). Les signes extérieurs ressemblent aux extases des mystiques (perte de conscience, insensibilité, ralentissement du rythme cardiaque, etc.), mais il s'agit, en fait, dans la perspective du yoga, d'un état qui est à l'opposé de l'extase : celle-ci est une sortie de l'être, un «ravissement» de l'âme, etc., alors que le «samadhi» (nom donné par le yoga à cette étape ultime de son développement) est une «intériorisation» parfaite, un retour à l'être.»

Il ne s'agit nullement de céder à un appel d'en haut et d'être «emporté au ciel», mais de concentrer en soi-même toutes les puissances dont on dispose. C'est un «recueillement» porté à son apogée, et l'insensibilité périphérique n'est que le signe d'une résorption des facultés plutôt que leur abolition. Les Indiens disent que l'adepte «fait la tortue» : «Il rentre en lui-même les facultés qui normalement permettent de sentir le monde et d'agir sur lui. [...] Il convient enfin de signaler que les

[1] Upanishad : *Traité des équivalences* (texte védique).

modalités de la progression devant conduire au *samadhi* peuvent varier considérablement selon les écoles : il en existe, par exemple, qui utilisent la dévotion, d'autres qui mettent l'accent sur la connaissance ; mais le cadre reste partout le même, ainsi que la finalité[1]. »

Le tantrisme

La tantrisme, si l'on s'en réfère à la tradition, fut introduit par Asanga, au IVe siècle avant J.-C. Depuis l'époque d'Asanga jusqu'à celle de Darmakhirti, sept siècles après J.-C., les connaissances tantriques étaient transmises en grand secret par les *gourous* (sages).

Selon le Guhyasamaja-tantra, le but du tantra est d'obtenir le *siddhi* ou « l'accomplissement de pouvoirs suprahumains de l'esprit, du corps ou des organes des sens ». Les étudiants ne sont pas admis librement aux classes de tantrisme : ils doivent être initiés aux pratiques tantriques par la bonne voie, celle du *gourou*.

« Une des options centrales du tantrisme est claire : l'homme découvre que son énergie sexuelle n'est pas simplement une puissance de reproduction, elle déborde les cadres de la seule conservation de l'espèce pour fournir à l'individu la possibilité d'atteindre des états de conscience plus élevés. » Contrairement au yogi qui trouve exclusivement dans le corps les moyens de son développement intérieur, le *tantrika* sait recourir au monde des choses. « Puisant largement dans un domaine archétypal inépuisable, le tantrisme s'est forgé un ensemble de signes spirituellement actifs [...]. Déités, objets isolés, vastes compositions des *mandalas*, diagrammes abstraits, ou *yantras* offrent une carte du réel de nature très particulière. Mais conscient que le graphisme peut tomber dans le piège d'une représentation discontinue, le son vient au secours de l'esprit du *tantrika* pour lui révéler l'aspect continu du réel[2].

[1] Rao (K. Ramakrishna) : «Teaching of Parapsychology in India and the Andhra Experiment », in *Parapsychology Review*, vol. 7, n° 5.
[2] Cocagnac (A.-M.) : *Inde et métaphysique du sexe, le Livre des pouvoirs de l'esprit* (Paris, C.A.L., 1976).

Est-il dangereux de développer ses facultés psi ?

Entretien avec le Dr Nicole Gibrat,
médecin et psychanalyste

Question
Est-ce qu'un certain type d'organisation psychologique, une certaine forme de pensée favorise l'apparition des phénomènes psi ?
Dr Nicole Gibrat
Je vais vous répondre en faisant une comparaison : tout le monde peut courir, mais il y a des gens qui sont morphologiquement mieux bâtis pour la course que d'autres. De même, en ce qui concerne les facultés *psi*, on peut supposer qu'il y a une égalité fondamentale, l'exercice faisant la différence.

Q.
Précisément, court-on un risque en essayant de développer ces « fonctions endormies » ?

Dr N.G.

A mon sens, les facultés *psi* sont comparables à n'importe quelle autre fonction : celui qui ne les utilise pas ne peut s'attendre à les voir se développer. Par contre, les pousser trop fort peut conduire au claquage, tout comme un muscle exagérément sollicité. Sur le plan du « destin » psychologique c'est, *mutatis mutandis*, la même chose : les facultés *psi* peuvent être refoulées, inhibées, ou vécues tout à fait normalement. Néanmoins, les profils psychologiques particuliers donnent aux manifestations *psi* des caractères variés, que l'on peut réduire à deux grands groupes. D'une part, les hystériques, cherchant à plaire à tout prix, finissent par produire ce que l'on attend d'eux. Les obsessionnels, au contraire, se protègent farouchement, cherchent à échapper au désir de l'expérimentateur, ont peur de gaspiller leur énergie psychique. Les fonctions *psi* ne seront donc pas du tout vécues de la même façon dans l'un ou l'autre cas. Les psychocinèses* de l'hystérique, par exemple, ce sera un grand chambardement, les jets de pierres, les meubles qui se déplacent, les objets qui éclatent, etc. : du spectaculaire, en somme. Et cela marchera d'autant mieux que le public sera nombreux. Tandis que la psychocinèse de l'obsessionnel sera discrète, voire secrète, et presque toujours « utile » : on retrouve ce goût de l'économie, de la rétention, qui se manifeste chez tout obsessionnel adapté et accepté dans la société.

Q.

Pourtant, dans le passé, on a fréquemment associé les manifestations du paranormal à la maladie mentale.

Dr N.G.

Ce n'est pas contradictoire, car il n'y a pas que la pathologie objective ; il y a également le milieu d'accueil et le jugement porté sur ce qui n'est pas compris. Dans les cercles spirites, par exemple, vous trouverez des sujets qui sont exclus de la société parce qu'ils exercent leurs facultés *psi* de manière parfaitement naturelle. Déçus, ils s'enferment dans l'« autre monde » accueillant du spiritisme, cet autre monde qui valorise la cause même du rejet : à la limite, il y a une phallicisation* de la faculté *psi*, comme chez certains obsessionnels une phallicisation de l'intellect.

Q.

Un milieu réfractaire contribue donc à transformer une fonction naturelle en pathos, en maladie mentale ?

Dr N.G.

Il y a, de ce point de vue, deux types de refus aux effets également désastreux. Le premier, le plus catégorique, c'est celui dont je vous parlais à l'instant. Les psychanalystes le nomment « déni de réalité ». Plutôt que de reconnaître ce que l'on craint, on le nie, on le refuse : « Ça n'existe pas ! » Si le « déni » est intériorisé, si le sujet vit sa fonction *psi* tout en la niant, il lui faudra de solides défenses pour ne pas verser dans la psychose, la folie. Le deuxième type de refus est plus sournois, c'est le refus « savant », la rationalisation : on reconnaît que « ça existe », mais on ajoute aussitôt : « C'est pathologique. » A moins que l'on appose le cachet « pensée magique »... Enfin, reste l'ignorance pure et simple. Par exemple, lorsqu'un jeune psychanalyste est en « contrôle »[1] chez un analyste confirmé, il arrive qu'un patient fasse des rêves où son thérapeute paraît dans la situation de contrôle. Il est impossible de rendre compte de cette « prescience » dans les termes de la psychologie classique ou de la psychanalyse. En réalité, un bon télépathe va directement au refoulé de son analyste, parce que c'est là que réside le danger. Quant au psychiatre, en face d'un cas de télépathie, il dira : « Ces schizophrènes, ils disent des choses extraordinaires ! » Parmi lesquelles, des choses que seul le psychiatre pouvait savoir...

Q.

Vous semblez n'envisagez qu'une issue désastreuse aux manifestations psi...

Dr N.G.

Pas du tout : il y a heureusement des milieux plus favorables où les fonctions *psi* sont acceptées, assumées, voire encouragées. Je connais le cas d'un grand-père qui, pendant la dernière guerre, disait à ses enfants : « Il va y avoir une alerte ! » Les enfants allaient aussitôt prévenir les voisins, tout le monde descendait à la cave et attendait, bien installé, que les sirènes se

---

[1] *Contrôle :* le psychanalyste débutant effectue ses premières analyses sous le « contrôle » d'un analyste confirmé.

déclenchent... Comme l'a remarqué le Dr Martini, là où la fonction a toujours sa raison d'être, elle persiste. En Bretagne, où il y a un taux de médiumnité très élevé, cette nécessité se faisait sentir avec force : je pense naturellement aux familles de marins. Comme il n'y avait pas Radio-Conquet[1], la télépathie remplaçait Radio-Conquet.

Q.
Dans la mesure où le milieu est neutre, sinon bienveillant, les phénomènes psi ont donc tendance à se multiplier et, dans la mesure où ils se multiplient, à être de mieux en mieux tolérés.
Dr N.G.
... tolérés et adaptés à leur « usage », ce qui les valorise et donc les encourage.

Q.
Que pensez-vous du lien que l'on établit entre les grandes psychocinèses — les « poltergeists » ou esprits frappeurs — et les problèmes des adolescents ? On a remarqué qu'il y avait souvent un adolescent pubère dans les maisons hantées.
Dr N.G.
Il ne faut pas que les adolescents servent de bouc émissaire. Le véritable responsable d'un poltergeist peut être aussi bien la grand-mère que la petite-fille. Ce qui pose l'une des plus passionnantes questions de la parapsychologie : y a-t-il une transmission héréditaire des facultés psi ? Dans la mesure où cela peut correspondre à une fonction cérébrale particulière, liée à un ensemble neuro-endocrinien, ce n'est pas biologiquement absurde.

Q.
Ce qui justifierait la transmission de certains pouvoirs d'une génération à l'autre, comme celui de « passer le feu » (calmer une brûlure).
Dr N.G.
De plus, il y a ce que la psychanalyse nomme l'« identification », l'imitation de l'autre médium de la famille. Ce peut être très

---

[1] Radio-Conquet donne aux bateaux des informations météo et aux familles des nouvelles des équipages.

positif si ce dernier — comme c'est souvent le cas dans les sociétés traditionnelles — est non seulement accepté, mais révéré. Le médium devient le chef spirituel du groupe. Ce peut être tragique si la fonction était associée chez le modèle à la maladie mentale. Mais la thèse en faveur d'un acquis héréditaire est renforcée par l'examen des photographies d'une famille de médiums : vous retrouvez les yeux fixes, l'exophtalmie ou saillie de l'œil hors de l'orbite, etc.

Q.
Il reste difficile de savoir si l'on a eu des ancêtres psi : s'ils furent tolérés, personne n'y prit garde ; s'ils furent rejetés, la mémoire du groupe est frappée d'amnésie, le mouton noir est oublié.

Dr N.B.
Il y a cependant des indices : d'abord, les guérisseurs. Dans la France rurale, chaque groupe avait le sien, mais certaines lignées eurent plus fréquemment des sorciers jeteurs ou leveurs de sorts, des sages ou des chefs. Enfin, il semble qu'il y ait une corrélation entre certains métiers et les facultés *psi*, je pense en particulier aux professions où l'on cherche, ou l'on « chasse » : les brocanteurs, les fripiers, les journalistes. Là où la nécessité reparaît de mobiliser son intuition, son instinct, et le « sixième sens ».

Les dangers de l'éducation des facultés psi

Entretien avec le Dr Nicole Gibrat,
médecin et psychanalyste

Question
Y a-t-il des risques auxquels on s'expose plus particulièrement en « travaillant » ses facultés psi ?
Dr Nicole Gibrat
A mon sens, les facultés *psi* ressortent de fonctions naturelles. Celui qui ne les utilise pas ne peut s'attendre à ce qu'elles se développent. Par contre, les « pousser » trop fort peut conduire au claquage, tout comme un muscle exagérément sollicité.

Q.
Certaines expériences peuvent-elles entraîner des dommages psychiques ?
Dr N.G.
Il y a des apprentis sorciers qui hypnotisent un paranoïaque et lui permettent ainsi de délirer tout son soûl sur le mode interpréta-

tif : «Il me dirige à distance, il me dit ce que je dois penser», etc. Ça se termine souvent très mal pour l'hypnotiseur. D'une manière générale, les charlatans sont moins dangereux que ceux qui y croient, parce qu'ils sont conscients des risques qu'ils courent et de ceux qu'ils font courir. Par contre, dans certains milieux, on pratique sans vergogne l'hypnose sauvage à des fins d'identification médiumnique : cela fait beaucoup d'effet sur les foules et conduit le médium hystérique tout droit au cabanon.

Q.
Il ne faut donc pas « jouer » avec l'hypnose...
Dr N.G.
Non, car le désir de puissance de l'expérimentateur peut aller très loin. Même et surtout s'il est inconscient. C'est la raison pour laquelle je conseille aux médiums de ne pas se laisser hypnotiser par n'importe qui sous prétexte d'expérience ; je leur déconseille, par ailleurs, d'accepter les défis de ce genre... Disons qu'une autohypnose raisonnable, comme celle qu'on obtient par le training autogène, ne tire pas à conséquence. Bien qu'il y ait, même pour le T.A., des contre-indications. Un autre danger naît de la réussite de ces expériences : les sujets ont alors tendance à vouloir se replonger dans les états de conscience destructurée par tous les moyens, et avec tous les risques que cela comporte.

Parapsychologie et spiritualité

Faut-il insérer le paranormal « moderne » dans un cadre archaïque ?

Les phénomènes *psi* suscitent une curiosité passionnée — pas toujours de bon aloi, hélas !

Ceux qu'intéresse le paranormal et, à plus forte raison, ceux qui l'expérimentent ont à répondre à cette curiosité. Vu l'importance décisive du milieu familial, social, dans la réussite ou l'échec d'une « éducation » des facultés *psi*, il n'est pas inutile de connaître la psychologie des « chèvres » et des « moutons »*, pour reprendre la terminologie de Gertrude Schmeidler. Paradoxalement, ce sont les parapsychologues scientifiques qui se montrent souvent les moins tolérants à l'égard des « superstitions » fondées sur une expérience personnelle des phénomènes *psi* ! Voici ce qu'écrivait Robert Van de Castle, de l'université de Virginie, à propos du « rejet » du spiritisme par les parapsychologues : « Il y a beaucoup d'associations, dans ce pays (les U.S.A.), dont les membres s'intéressent aux phénomènes psychiques. Beaucoup de ces gens font des efforts continus afin de développer leurs facultés psychiques par la prière, la méditation, l'interprétation des rêves, l'entraînement de la sensibilité, ainsi que par bien d'autres techniques, et ils constatent apparemment l'existence de phénomènes *psi*.

« D'une façon générale, la réponse de la psychologie officielle aux sollicitations de ces groupes est extrêmement froide. Nous nous efforçons de maintenir une distance raisonnable entre ces occultistes et nous afin de ne pas être contaminés. Cette attitude peut finalement nous porter préjudice. De telles associations rassemblent en effet des *sujets hautement motivés* et prêts à coopérer à l'effort de la recherche pourvu que l'expérimentateur leur expose son projet (scientifique) en termes compatibles avec leurs idéaux.

« En méprisant les groupes spiritualistes ou spirites, en refusant de travailler avec eux, nous passons à côté de bien des choses importantes concernant les stades de conscience et les phénomènes mentaux, toutes ces choses qui expliquent en partie la fascination du public pour les phénomènes *psi*. »

En effet, chacun trouve plus dogmatique ou plus crédule que soi : les matérialistes traitent les parapsychologues de naïfs ou de fumistes ; les parapsychologues considèrent avec répugnance les spiritualistes ; bouclant la boucle, les spiritualistes ne manifestent qu'un mépris hautain envers les sordides préoccupations de la science matérialiste. Or, les seules discussions sérieuses ne peuvent porter — pour le moment — que sur les modalités des phénomènes *psi :* sur leur «comment» et non sur leur «pourquoi». Toutes les querelles d'interprétation sont donc vaines. Quant à la méthode employée pour la recherche, elle est, en théorie, neutre : on peut donc faire accepter à un esprit religieux l'investigation scientifique du parapsychologue, et le parapsychologue n'a aucun motif de douter du caractère réel, objectif des phénomènes que lui rapporte un croyant de bonne foi[1].

[1] Cf. Van de Castle : *Proceedings of the Parapsychological Association,* vol. 8.

Apprendre en transe profonde

Que faut-il penser de ce témoignage sur l'apprentissage en transe profonde publié dans un livre qui fit grand bruit aux U.S.A.[1] ? Notre chapitre consacré à l'hypnose, ainsi que l'interview du Dr Gibrat qui fait partie de ce dossier attirent l'attention sur les dangers des états de conscience destructurée. Si l'identification se greffe sur une personnalité fragile ou schizoïde, on peut très vite atteindre le «point de non-retour», la folie sans remède. Il y a entre l'autohypnose légère et ce qui est rapporté ci-dessous la même différence qu'entre «pile ou face» et la roulette russe : ce sont deux jeux de hasard, mais les conséquences en cas d'échec diffèrent quelque peu.

«Vous êtes Ilya Répine», dit le docteur Raikov à la jeune fille qu'il avait plongée dans une transe profonde. Répine, grand peintre russe du début du siècle, est encore très étudié actuellement en U.R.S.S. «Vous pensez comme Répine. Vous voyez

[1] Ostrander (S.) et Shroeder (L) : *Psychic Discoveries behind the Iron Curtain* (Prentice Hall, 1970), traduit en français sous le titre : *Fantastiques recherches parapsychologiques en U.R.S.S.* (Paris, Robert Laffont, 1973).

comme Répine, vous avez le talent de Répine, vous êtes Répine. Vous avez donc le génie de Répine. »

Après quelques séances d'identification, il était évident qu'Alla (le sujet) dessinait beaucoup mieux. Après une dizaine d'après-midi passés sous la personnalité de Répine, elle eut envie de dessiner pour elle-même et ne sortit plus sans son carnet à dessin. En trois mois, après un cours de vingt-cinq leçons, Alla dessinait comme une professionnelle. Sans doute n'avait-elle pas le talent de Répine ou de Raphaël, auquel elle s'était identifiée deux fois, mais elle atteignait le niveau d'un bon dessinateur de magazine. Ce don pour le dessin s'épanouit avec tant de force chez Alla qu'elle envisagea d'abandonner la physique pour se consacrer à la peinture. Pendant l'expérience, Alla conserva sa propre personnalité, quand bien même elle s'identifiait à Raphaël. Elle garda toute sa vivacité et sembla complètement éveillée : elle voyait le modèle, son crayon, la feuille de dessin. Elle construisait elle-même son esquisse, et chargeait l'œuvre de ses propres émotions. Raikov n'intervenait pas et ne cherchait pas à influencer Alla. Il jouait le rôle d'observateur. Il fut simplement l'homme qui déclenche le processus d'identification.

Raikov a réussi à développer les dons musicaux aussi bien que les talents pour les arts plastiques. Sous son contrôle, un étudiant du Conservatoire de musique de Moscou s'identifia à l'illustre violoniste Alfred Kreisler. Le jeune homme, convaincu qu'il était le virtuose en personne, se mit à imiter le style du maître. Cette faculté ne l'abandonna pas après l'expérience.

D'après Raikov, l'identification peut s'appliquer, outre à l'apprentissage de la peinture et du dessin, à la formation scientifique. Ce passage rapide de la découverte à l'application reflète bien le souci des Soviétiques de découvrir de nouvelles méthodes radicales d'enseignement.

Le paranormal en Chine, en Islam et en Occident

Le taoïsme et la respiration embryonnaire

Pour la religion chinoise ancienne, les techniques du souffle ne sont plus des tremplins pour la méditation, mais se suffisent à elles-mêmes. Elles portent le nom général de « respiration embryonnaire » et se donnent comme but « l'immortalité du corps lui-même » (La « Longue Vie »). Voici quelques textes du *Tao*, cités par Mircea Eliade, qui illustrent cette démarche nettement plus matérialiste que celle de l'Inde :

Premier exercice :
« Il faut s'installer dans une chambre retirée, fermer les portes, se placer sur un lit avec une natte moelleuse et un oreiller de deux pouces et demi de haut, se coucher, le corps en position correcte, clore les yeux et tenir le souffle enfermé dans le diaphragme de la poitrine, si bien qu'un poil posé sur le nez et la bouche ne bouge pas » (*Tchen Tchong ki*).

« Après un exercice prolongé, commente M. Eliade, on peut arriver ainsi à retenir le souffle le temps de 3, 5, 7, 9 respirations, ensuite de 12, 120 etc. Pour obtenir l'immortalité, il est nécessaire de retenir son souffle le temps de 1 000 respirations. »

Second exercice :
« Chaque fois qu'après avoir absorbé le souffle on a du loisir de reste, prendre une chambre calme où personne n'habite, défaire ses cheveux, desserrer ses vêtements et se coucher, le corps dans une position correcte, étendre les pieds et les mains, ne pas les fermer ; avoir une natte propre, dont les côtés pendent à terre. Alors, harmoniser les souffles : enfermer le souffle jusqu'à ce que ce soit insupportable [...]. Laisser le souffle aller là où il veut, et quand le souffle est insupportable, ouvrir la bouche et le relâcher [...]. Fondre le souffle ne peut pas se faire tous les jours ; tous les dix jours ou tous les cinq jours, si on a du loisir de reste ou si on sent qu'il n'y a pas communication partout [...], alors qu'on le fasse ! »

Comme l'ascèse yogique, la discipline du souffle, selon le *Tao*, débouche sur l'obtention de pouvoirs paranormaux :
« On peut alors entrer dans l'eau sans se noyer ou marcher sur le feu sans se brûler. » Il est également possible de guérir : « On harmonise le souffle, puis on l'avale et on le retient aussi longtemps que possible : on médite sur l'endroit malade, on y déverse par la pensée le souffle et on le fait par la pensée lutter contre la maladie en essayant de forcer le passage obstrué. »

Par le contrôle du souffle, les Chinois archaïques, grands observateurs de la nature, ne visaient ni plus ni moins qu'à imiter l'hibernation : « Qui veut éviter passions et vertiges doit apprendre à respirer non par le gosier seul, mais avec tout le corps, à partir des talons. Seule cette respiration profonde et silencieuse affine et enrichit la substance. C'est, du reste, la respiration qui s'impose tant pendant l'hibernation que pendant l'extase. En respirant le cou cassé ou tendu, on arrive, si je peux dire, à laminer le souffle et à quintessencier sa puissance vivifiante. Le but suprême est d'établir une sorte de circulation intérieure des principes vitaux telle que l'individu puisse demeurer parfaitement étanche et subir sans dommage l'épreuve de l'immersion. *On devient imperméable, autonome, invulnérable*[1], dès que l'on possède l'art de se nourrir et de respirer en circuit fermé, à la manière d'un embryon » (Marcel Granet : *la Pensée chinoise*).

L'Islam et le dhikr

Le *dhikr* est une méthode d'accès à l'extase qui utilise conjointement le contrôle du souffle et la répétition du nom de Dieu. « Les postures à prendre consistent à s'accroupir sur la terre, les jambes croisées, les bras jetés autour des jambes, la tête baissée entre les deux genoux et les yeux fermés. On relève la tête en disant *lâ ilâh* pendant le temps qui s'écoule entre l'arrivée de la tête à la hauteur du cœur et sa position sur l'épaule droite. On observe cette attention d'écarter de son esprit tout ce qui est étranger à Dieu » (Muhammad Al Sanusi). Le *dhikr*, dans sa phase finale, provoque des phénomènes d'altération perceptive de plus en plus unifiés : bruits et taches lumineuses se confondent jusqu'à l'anéantissement du sujet dans le *fânâ*.

L'Occident des hésychiastes

On ne peut que rapprocher le *dhikr* islamique des pratiques auxquelles se livraient les hésychiastes (en grec : qui cherchent le repos) de l'Occident chrétien. Là aussi, la contemplation de l'unité divine passe par le contrôle de la respiration, associé à la répétition inlassable du nom de Dieu, ou d'une prière : « S'asseoir dans l'obscurité, baisser la tête, fixer des yeux le milieu du ventre, autrement dit le nombril, chercher à découvrir là le lieu du cœur, répéter cet exercice sans relâche en l'accompagnant toujours de la même invocation suivant le rythme de la respiration, ralenti le plus possible et, moyennant la persévérance de jour et de nuit dans cette oraison mentale, on finira par trouver ce que l'on cherchait, le lieu du cœur, et avec lui et en lui toutes sortes de merveilles et de connaissances[2] ».

---

[1] Souligné par nous.
[2] Haussherr (I) : *la Méthode d'oraison hésychaste*, (Rome, 1927).

La mesure de l'efficacité lors des expériences psi

Les parapsychologues ne peuvent enfermer les facultés *psi* dans des éprouvettes ou fabriquer des appareils de mesure, faute de connaître et de maîtriser l'énergie dont ces facultés émanent.

Aussi ont-ils recours aux statistiques qui ne décrivent pas les conditions dans lesquelles un fait se produit (relations causales), mais la probabilité qu'il a de se produire. Ils peuvent ainsi mesurer l'efficacité des techniques de développement des facultés *psi* et comparer les résultats obtenus lors de telle ou telle expérience. La discussion sur la méthode numérique à employer présente deux intérêts : d'une part, elle permet d'affiner les techniques proprement dites ; d'autre part, elle offre à l'expérimentateur un outil de renforcement capable d'agir sur les performances des sujets *psi*.

«Les chercheurs sont quelquefois étrangement indifférents à l'égard des résultats obtenus par les sujets *psi*. Ils ne cherchent pas, entre autres choses, à rendre ces résultats plus accessibles. Par exemple, ils diront à un sujet qu'il a dépassé de 52 points la probabilité statistique, après un total de 2 725 essais ; ils ajouteront que ce résultat s'exprime par p = 0,01, ce qui ne l'éclairera guère plus. D'autres, plus soucieux d'informer leurs cobayes, préfèrent exprimer les résultats obtenus pour 25 (ou sur 25) essais. Le résultat précédent devient alors 5,48 (ou 0,48 au-dessus de l'espérance statistique). La performance devient plus concrète, les chiffres sont plus explicites. [...] Pour ma part (écrit encore Thouless), j'ai suggéré que l'on adopte une échelle *pour cent*. Le résultat précédent se présenterait alors sous la forme de 1,92 % au-dessus de l'espérance[1]. »

[1] Thouless (R.H.) : *From Anecdote to Experiment in Psychical Research* (Routledge et Kegan Paul, Londres, 1972).

Les animaux emploient-ils les facultés psi ?

Après que bien des études eurent été faites sur les mammifères, les oiseaux et les insectes, Graham K. Watkins[1] décida d'étudier le comportement des reptiles à cet égard. Sa recherche porta sur le lézard brun sans queue de Cuba (*Anolis Sagrei*).

« L'expérience consistait à placer cinquante de ces animaux dans des containers, en compagnie d'autres lézards des deux sexes dans une première série, et du même sexe dans une seconde série. La chambre d'essai était formée d'un aquarium surmonté d'une grille métallique. Cette chambre était ensuite placée dans une baignoire, elle aussi métallique, partiellement remplie de glace et d'eau. Chaque série d'essais commençait lorsque la température de la chambre atteignait 10° centigrades. Cette température était automatiquement enregistrée.

Une ampoule de 250 watts était disposée au-dessus de la chambre et connectée à un générateur de hasard. La tâche du lézard était simple : elle consistait à maintenir en marche l'am-

[1] Watkins (Graham K.), de l'Institute for Parapsychology.

poule, le plus longtemps possible, afin de maintenir la température à un niveau convenable [...]. »

Or l'étude des relevés caloriques et barométriques montre que :

— Une pression atmosphérique élevée — c'est-à-dire celle qui caractérise le beau temps — correspond aux plus longues périodes où l'ampoule est éteinte. Elle entraîne en effet une déshydratation du lézard dont la température monte, et il éprouve bientôt le besoin d'être « refroidi ».

— Par ailleurs, les résultats (28 % de déviation dans le sens attendu) montrent que les lézards dominants, quel que soit leur sexe, sont plus efficaces que les individus moyens.

Lors du congrès de l'Association de parapsychologie, en 1970, Eve André et Walter J. Levy rapportèrent une expérience au cours de laquelle de jeunes poulets se révélèrent capables de modifier le fonctionnement d'un générateur de hasard pour obtenir de la chaleur.

« Dans cette série de recherches, écrit W.J. Levy, j'ai utilisé des œufs fécondés pour voir si je pourrais obtenir des résultats similaires. Les œufs provenaient d'une ferme locale et entraient dans la première semaine d'incubation. Placés dans une couveuse, ils étaient soumis au rayonnement d'un tube calorique, placé à environ un pied de distance (30 cm). Le tube était connecté à un générateur de hasard qui mettait le tube en route, ainsi qu'une couveuse témoin, dépourvue d'œufs (l'ensemble des deux allumages constituait un essai).

« Les premiers résultats montrèrent une déviation positive de 53 % (contre 47), puis de 52,1 % (contre 47,9 %). Au total, on obtient 1 077 résultats positifs pour 2 000 essais, soit 1,92 % au-dessus de l'espérance.

« L'expérience est toujours en cours. J'ai d'ailleurs poursuivi pour voir si les œufs réagiraient négativement au cas où la chaleur atteindrait un niveau trop élevé. A 100° Farenheit, les résultats tombent brutalement à 36,3 %. Autrement dit, les œufs agissent sur le générateur de hasard pour que la lampe reste éteinte le plus longtemps possible[1]. »

[1] D'après Levy (W.J.) : *Possible PK by Chicken Embryos to obtain Warmth* (Institute for Parapsychology).

L'effroi devant le paranormal sous hypnose

« Certains des premiers disciples de Mesmer, en particulier les deux frères Puységur, avaient déjà constaté que des sujets « magnétisés » faisaient preuve de temps à autre de connaissances qu'ils n'auraient pu acquérir par des voies normales. Ils pouvaient lire la pensée du « magnétiseur », accomplir des voyages imaginaires dans l'espace et décrire des événements lointains dont personne à proximité, à commencer par le magnétiseur, n'était informé. A partir d'un certain moment, ces manifestations télépathiques — ou, comme on préfère dire aujourd'hui, de perception extra-sensorielle — devinrent une sorte d'éventuel et possible accompagnement des séances magnétiques. Aussi, on ne s'étonnera pas que, lorsque fut fondée à Londres, en 1882, la Society for Psychical Research, dont le but principal était d'examiner les phénomènes vrais ou présumés de médiumnité, de télépathie ou de connaissance paranormale, l'hypnose figurât parmi ses sujets d'étude. Dans les milieux les plus sérieux qui se consacrent à l'étude de la parapsychologie, aujourd'hui encore on essaie de préciser si l'état d'hypnose peut provoquer ou favoriser la perception extra-sensorielle. Il faut reconnaître que, dans certains cas, les résultats de ce type d'expériences ont été très positifs et encourageants. Mais, dans le passé, *des magnétiseurs ou des hypnotiseurs se sont trouvés placés devant une manifestation de faits parapsychologiques sans l'avoir du tout cherché*[1], et ils sont demeurés consciemment ou inconsciemment stupéfaits et gênés face à ces événements. Le fait de voir ainsi les frontières de l'hypnose s'élargir périodiquement et s'étendre dans des directions et à des secteurs d'expérience considérés comme « tabous » par la majeure partie des savants officiels a indubitablement contribué, selon nous, à détourner beaucoup de gens, et spécialement les chercheurs dits « sérieux », à ce sujet considéré comme par trop périlleux et peu sûr. A ce point de vue également, l'hypnose apparaît donc comme une force qu'il n'a jamais été possible de contenir, comme un cours d'eau qui a débordé chaque fois que les hommes ont essayé de l'endiguer, chaque fois qu'ils ont cherché, avec les meilleures intentions, à la classer dans une des branches du savoir acquis, à en faire un chapitre de traité ou de manuel universitaire. L'échec de ces tentatives n'a pas été consciemment ressenti comme tel, mais il s'est vérifié dans les faits et a conduit logiquement les hommes de bonne volonté à faire marche arrière et à prendre peur[2]. »

---

[1] Souligné par nous (N.D.A.).
[2] Servadio (Emilio), président de la Société psychanalytique italienne : Introduction aux *Pouvoirs de l'hypnose*, de Jean Dauven, traduction Jeanine Feller (Saint-Jean-de-Braye, Dangles, 1977).

L'autoscopie

« Les « défenses » sont des obstacles majeurs dans le progrès thérapeutique. Or l'autoscopie* est fréquemment associée à l'abaissement de ces défenses. Hudesman et Schmeidler ont d'ailleurs mis en évidence que les performances des sujets *psi* sont meilleures après une bonne séance d'autoscopie. Une « bonne session » peut se définir ainsi : le patient a appris quelque chose sur lui-même. Il n'en est pas nécessairement heureux. Cette « ouverture thérapeutique » est un signe de réduction des défenses, d'une attitude basée sur le mode répressif. Jourard a donné, pour définition d'une personnalité saine, celle qui adopte une attitude non défensive, ouverte et volontiers introspective. L'individu qui possède un « moi transparent » est assez fort pour révéler aux autres tous les aspects de lui-même[1]. »

[1] Cité de *Research and Psychology* (U.S.A., Metuchen New-Jersey, 1975).

Les phases de l'hypnose

Sommeil léger

1) Somnolence caractérisée par de la torpeur, de l'assoupisse-ment, de la pesanteur de la tête, de la difficulé à soulever les paupières (transe légère).

2) Sommeil léger caractérisé en outre par un commencement de catalepsie. Les sujets peuvent encore modifier l'attitude de leurs membres si on les défie (transe légère).

3) Sommeil léger plus profond : engourdissement, catalepsie, aptitude à exécuter les mouvements automatiques : le sujet n'a plus assez de volonté pour arrêter l'automatisme rotatoire sug-géré (transe moyenne : « gant »).

4) Sommeil léger intermédiaire : outre la catalepsie, l'automa-tisme rotatoire, les sujets ne peuvent porter leur attention que sur l'hypnotiseur et n'ont souvenir au réveil que de ce qui s'est passé entre eux et lui (changement de personnalité, illusions du toucher, du goût, de l'odorat).

Sommeil profond ou somnambulique

1) Le sommeil somnambulique ordinaire est caractérisé par l'amnésie complète au réveil et l'hallucinabilité pendant le sommeil : les hallucinations s'effacent au réveil. Les sujets sont soumis à la volonté de l'hypnotiseur (transe profonde : illusions de la vue et de l'ouïe).

2) Le sommeil somnambulique profond, caractérisé par l'amnésie au réveil, l'hallucinabilité hypnotique et posthypnotique ; soumission absolue à l'hypnotiseur (régressions)[1].

[1] Cité dans *les Pouvoirs de l'hypnose*, *de* J. Dauven, *op. cit.*

La dormeuse qui flottait au plafond

«Les voyages hors du corps peuvent convaincre le sujet que sa conscience existe en dehors de son corps, mais comment cela peut-il être vérifié ? Pour l'instant, nous pouvons seulement distinguer de telles expériences des rêves ou des rêveries lorsqu'elles sont associées à des P.E.S.* ou à des P.K.* ; c'est-à-dire lorsqu'il est évident que le sujet est capable d'observer des événements à l'endroit où sa conscience s'est déplacée, ou d'agir sur des phénomènes physiques. Il est rare, cependant, que l'on puisse provoquer des O.O.B.E. à la demande. Le résultat, c'est que peu d'expériences ont été accomplies dans ce domaine jusqu'aux dernières années. L'une d'entre elles consista dans une exploration conduite par Charles T. Tart sur une jeune femme qui avait quelquefois la sensation, le soir, de flotter près du plafond de sa chambre et de regarder son corps. Tart lui suggéra d'écrire des nombres de un à dix sur des feuillets de papier, d'en prendre un au hasard chaque soir, et de le placer sur la table de sa chambre, en un point invisible du lit, mais perceptible au plafond. Quand la jeune femme eut affirmé avoir effectué cette opération sept fois de suite, toujours avec succès, Tart lui demanda de la répéter dans un laboratoire de psychophysiologie. Durant chacune des quatre nuits qu'elle y passa, Tart écrivit cinq nombres, tirés au hasard d'une table de nombres, sur une feuille qu'il plaça à deux mètres du pied du lit. La jeune femme rapporta plusieurs expériences de voyage hors du corps, mais c'est seulement la dernière nuit qu'elle pensa avoir vu le nombre inscrit sur la feuille 25 132. Elle avait vu juste. Bien que ce résultat soit unique, il est hautement significatif. On doit cependant faire remarquer que Tart ne l'observant pas continuellement, l'hypothèse d'une fraude de la part de la dormeuse n'est pas totalement exclue. Notons néanmoins que son crâne portant les électrodes d'un appareil d'électroencéphalographie, elle ne pouvait se déplacer sans interrompre le relevé (les tracés de l'électroencéphalogramme n'indiquèrent rien de significatif).[1] »

---

[1] D'après Roll (W.G.) : « A New Look at the Survival Problem, Survival Research with the Living », in *New Directions in Parapsychology* (Londres, Elek Science, 1974).

Phénomènes paranormaux des enfants retardés mentaux

Les enfants retardés mentaux compensent-ils leur infériorité intellectuelle en utilisant des facultés paranormales ?

« En tant que psychologue des enfants retardés mentalement dans le comté de Los Angeles, j'ai[1] fréquemment entendu parler de cas spontanés de télépathie, de clairvoyance et de précognition.

« En réalité, ces faits semblent plus fréquents dans les écoles d'enfants retardés que dans les autres […] J'ai donc décidé de procéder à une étude de ce problème durant l'été 1975. L'école que je choisis comptait cent cinquante élèves âgés de cinq à vingt et un ans. Tous avaient été définis comme « mentalement retardés ».

« Je sélectionnai trois groupes de vingt-cinq sujets. Les groupes comprenaient :

---

[1] L'auteur de cet article est Eloïse Shields, et son directeur d'études Charles Honorton.

« 1) Des enfants au cerveau endommagé. Des causes typiques étaient attribuées à ces dommages : accidents péri et postnataux, méningites cérébro-spinales, encéphalites et accidents traumatiques. Le quotient intellectuel[1] de ces enfants allait de 30 à 63, avec une moyenne de 45.

« 2) Des enfants atteints du syndrome de Down, ou présentant des atteintes mongoloïdes (diagnostic : syndrome de Down associé à un chromosome supplémentaire sur une paire de 21, pour un cariotype de 46). Leur Q.I. allait de 21 à 71, avec une moyenne de 40.

« 3) Des sujets indifférenciés. Ces vingt-cinq enfants n'avaient pas de diagnostic médical précis. Leur Q.I. variait de 32 à 73, avec une moyenne de 46.

« Avant l'expérience, nous avions émis deux hypothèses :

« — La première était qu'*un enfant entraîné obtiendrait plus de résultats positifs dans un test de télépathie que les enfants d'une intelligence supérieure non entraînés.*

« Comme nous n'avions pas de groupe de contrôle composé d'enfants normaux, nous avons supposé que nos enfants obtiendraient des résultats *bien supérieurs* à l'espérance statistique. Ce calcul était fondé sur l'hypothèse que les enfants les plus déficients devraient compenser leur manque d'aptitude mentale en utilisant celle de leurs voisins plus avancés.

« — Selon la seconde hypothèse, *les enfants déficients obtiendraient des scores supérieurs à l'espérance statistique dans les tests de clairvoyance, les objets ayant pour eux plus d'importance que les concepts et les mots du langage parlé.*

« L'équipe de chercheurs comprenait trois personnes : l'orthophoniste, qui faisait passer les tests de clairvoyance et de télépathie ; l'infirmière, qui préparait les tests et notait les résultats ; le psychologue, qui organisait le projet et en analysait les résultats.

« D'ordinaire, on emploie pour ce genre d'expériences les cartes de Zenner. Je pensais qu'en l'occurrence les symboles plus concrets, plus accessibles seraient préférables. Aussi nos

[1] A âge égal, le Q.I. normal est de 100.

cartes ne portaient-elles pas la croix, le cercle, etc., tradition-
nels, mais des figurines représentant un cheval, un chien, une
chèvre, un chat et une taupe.

«Chaque enfant était testé individuellement et participait
d'abord à un test de clairvoyance, puis à un test de télépathie.
Les tests étaient administrés dans le bureau de l'orthophoniste,
une femme. Celle-ci s'asseyait d'un côté de son bureau, et l'enfant de l'autre. Elle commençait par montrer à chaque enfant
chacune des cartes et lui demandait «ce que c'était». Par la
suite, nous utilisions le nom que l'enfant donnait aux animaux,
nom qui n'était pas nécessairement le bon.
  «Nous savions en effet que les enfants retardés ont des problèmes de persévérance[1]. Si nous leur imposions un nom
convenu, et s'ils devaient en changer par la suite, nous leur
aurions compliqué inutilement la tâche.

«Lors du test de clairvoyance, l'orthophoniste procédait
ainsi : «J'ai des cartes pareilles à celles que je t'ai montrées,
cachées derrière mes papiers.» Elle avait disposé un écran entre
elle et l'enfant. «Maintenant, voyons si tu peux deviner quel est
le dessin de la carte que je tiens. Quel est celui-ci, par exemple ?» Lorsque l'enfant avait répondu, elle reposait la carte, et
ainsi de suite, jusqu'à l'épuisement de la série de vingt-cinq
cartes. Notez — c'est important — que l'orthophoniste elle-
même ne pouvait voir les cartes, et qu'elle ignorait dans quel
ordre celles-ci étaient présentées. «Pendant le test, la jeune
femme s'efforçait d'entretenir l'attention de l'enfant, exprimait
son intérêt pour les résultats et acceptait tous les commentaires
qu'il pouvait lui faire.

«Lors du test de télépathie, l'orthophoniste procédait différem-
ment. Elle commençait par dire : «J'ai quelques cartes comme
celles-ci devant moi.» Puis elle disposait une carte entre elle et
l'enfant : «Maintenant, voyons si tu peux deviner quelle carte je

---

[1] Les enfants non retardés aussi ! (N.D.T.).

regarde maintenant. Je veux que tu devines ce que je pense. »
L'enfant acceptait cette dernière demande avec un naturel parfait. Cela lui semblait normal. Un peu surprise, l'orthophoniste demandait souvent, à la fin du test : « Tu es bien sûr d'avoir deviné ce que je pensais ? » A quoi un bon nombre d'enfants répondait : « Bien entendu ! » ou : « Je sais. » Une jeune fille, qui donna d'ailleurs vingt-trois réponses justes sur vingt-cinq, s'aperçut immédiatement que l'orthophoniste s'ennuyait. Elle se mit un peu en colère et lui demanda de « penser vraiment » à l'image…

« Nos deux hypothèses de travail furent confirmées par les résultats, principalement la première. Les scores positifs furent extraordinairement hauts, atteignant 7,17 bonnes réponses (au lieu des 5 de l'espérance statistique) dans le test de télépathie.

« Aucun des trois groupes n'obtint des résultats nettement supérieurs aux deux autres, mais tous dépassèrent largement l'espérance statistique.

« A quoi attribuer ce succès ? D'abord au caractère primaire de la personnalité des enfants retardés, ainsi qu'à leur extrême dépendance à l'égard des adultes. Ils offrent souvent des caractères typiques recensés par Schmeidler chez les sujets hautement *psi* : impulsivité, émotivité, nonchalance, un naturel « heureux ». « Les résultats particulièrement positifs obtenus lors du test de télépathie sont dus, me semble-t-il, à l'étroite relation qui existait entre les enfants et l'orthophoniste, celle-ci les déchargeant d'une part du travail — et de l'effort — qu'ils avaient à accomplir[1]. »

[1] D'après Shields (E.) : « Severely Mentally Retarded Children's psi Ability », in *Research in Parapsychology*, 1975.

L'incitateur de Fidelman

« L'idée d'utiliser un appareillage auxiliaire pour obtenir une bonne transmission télépathique revient à V. Fidelman, ingénieur à la section de bio-information de l'Institut Popov, de Moscou. Il y a quelques années, Fidelman, peu sûr de l'aptitude d'un émetteur à obtenir une image correcte de la pensée à transmettre, songea à faire appel à l'électricité. Il projeta, à de cours intervalles réguliers, sous les yeux de l'agent, un chiffre lumineux — disons le huit. En même temps, il ordonnait au sujet : « Psalmodiez... huit, huit, huit... au rythme des apparitions du dessin. »

« Puis il lui demanda de concentrer son attention sur ce chiffre jusqu'à ce qu'il ne voie rien d'autre que le huit se détachant sur un écran imaginaire. L'ingénieur affirme que, grâce à cette méthode, au cours d'une expérience de télépathie où une distance de près de cinq mille kilomètres séparait l'agent du percipient, ce dernier a capté correctement cent chiffres sur cent trente-quatre transmis. [...] Notons, en passant, que des yogis utilisent depuis longtemps des appareils peut-être rudimentaires, où la source lumineuse est constituée par une bougie, mais qui donnent un clignotement rapide lequel favorise, en principe, la méditation et, accessoirement, engendre des pouvoirs parapsychologiques[1]. »

[1] Ostrander (S.) et Schroeder (L.) : *Nouvelles Recherches sur les phénomènes psi* (Paris, Robert Laffont, 1977).

Lexique

Abiose
Etat de mort apparente.

Actions psychosomatiques
Modifications paranormales
de l'organisme.

Agent
Dans une transmission
télépathique, sujet qui émet
l'information.

Aithesis
Voir Clairvoyance.

Anpsi
Abréviation de l'anglais
Animal Psi. Nom générique
donné aux phénomènes
paranormaux observés dans le
monde animal.

Appel
Elément objectif d'une
expérience de perception
extra-sensorielle (par
exemple, des photographies
que le sujet doit décrire sans
les voir).

Association (test d')
Test de clairvoyance dans
lequel on confronte une série
type de noms associés (par
exemple : chat-boîte,
cri-cousin, peur-racine, etc.)
aux associations établies par
le sujet qui dispose seulement
de la liste des premiers mots
(chat, cri, peur, etc.).

Automatismes
Mouvements corporels
involontaires consécutifs à
une influence paranormale.

Autoscopie
1) fait de voir tout ou partie
de soi-même ;

2) autoscopie différente :
autoscopie non conforme à la
réalité ;
3) autoscopie externe : fait
de voir devant soi ;
4) autoscopie interne : fait de
voir l'intérieur de son corps ;
5) autoscopie spéculaire :
vision de soi comme « dans
un miroir ».

Bilocation
Voir aussi O.O.B.E.
Projection d'un double du
corps hors de celui-ci, avec
parfois transfert de ses
fonctions :
a) bilocation subjective : le
double apparaît à un
percipient ;
b) bilocation objective :
manifestation matérielle de la
présence du double.

But (télépathique)
Selon que l'on envisage la
communication sous la forme
d'une précognition ou d'une
clairvoyance, on parlera,
pour désigner l'élément
objectif perçu, de but ou
d'appel.

Cas
a) *Cas spontanés :*
phénomènes paranormaux
« naturels », c'est-à-dire non
concertés (poltergeists par
exemple), et qui échappent
au contrôle de l'observateur,
ou du sujet qui les provoque ;
b) *cas expérimentaux :* cas
observés lors d'une
expérience « psi ».

Catalepsie
Etat pathologique qui
caractérise la perte
momentanée de la sensibilité
et de la contractilité
musculaire.

Chamanisme
Ensemble des pratiques
magiques des tribus
asiatiques et
nord-américaines,
fréquemment en liaison avec
la recherche d'états
extatiques.

Chance
Voir Statistique.

Chèvres
Dans la classification de
Gertrude Schmeidler,
personnes qui refusent à
priori l'existence du
paranormal, sont hostiles à
l'expérimentation et
obtiennent généralement des
résultats statistiques négatifs,
mais significatifs (voir « Psi »
négatif).

Chronesthésie
Sensibilité hors de la portée
temporelle normale.

Clairvoyance ou encore
Aithesis
Perception extra-sensorielle
d'événements contemporains.

Cryptesthésie
Sensibilité cachée,
« infra-consciente ».

Cryptokinésie
Motricité cachée,

normalement
infra-consciente.

Diapsychie ou **transmission de pensée**
Communication de psychisme
à psychisme.

Ectoplasmie
Terme par lequel Charles
Richet désignait
l'extériorisation, à partir du
corps d'un sujet, d'une
substance ou ectoplasme.

Effets
a) *Effet de starter :*
stimulation ou
autostimulation du sujet
« psi », de nature « normale »,
destinées à susciter un
phénomène paranormal;
b) *Effet différentiel :* lors de
l'étude d'un même
phénomène, écart entre deux
séries de résultats, ou encore
différence significative entre
les résultats obtenus quand
les sujets participent à des
expériences ayant une
procédure différente;
c) *Effet de déplacement :*
décalage systématique entre
l'appel et la réponse du
percipient (précognition :
décalage dans le futur;
post-cognition : décalage
dans le passé).

Espérance
Voir Statistique.

Expérimentation
Dans la perspective de la
recherche scientifique
moderne, ensemble de
procédures
hypothético-déductives visant
à expliquer rationnellement
les phénomènes
paranormaux.

Extra Sensory Perception
Voir Perception
extra-sensorielle.

Générateur de hasard
Dispositif électronique qui
produit des séries de nombres
à une vitesse très élevée,
séries que le sujet interrompt
sans pouvoir choisir ni le
moment ni le chiffre de
l'arrêt.

Glossolalies ou **don des langues**
Ensemble de manifestations
vocales paranormales :
murmures, compréhension
d'une langue inconnue,
discours dans une langue
inconnue, transfert de la voix
d'un sujet à un autre.

Hasard
Voir Statistique.

Hyloclastie
Action anormale sur la
matière.

Hyperesthésie
Excitabilité ou finesse
anormale d'un sens.

Hypnoblepsie
Transe hypnotique dans
laquelle le sujet reste lucide.

Idéoplastie
Terme dû à J.M. Charcot, et

qui caractérise la facilité avec laquelle un sujet hypnotisé adopte les idées suggérées par l'hypnotiseur.

Lévitation
Soulèvement du corps, qui semble affranchi des lois de la pesanteur.

Médium
Individu présentant à l'observation des phénomènes paranormaux dont la fréquence est exceptionnelle.

Mesmer
Franz Anton, 1734-1815. Médecin allemand. Il affirma avoir découvert le « magnétisme animal », (fluide qu'il prétendait pouvoir diriger), communiqué, par contact ou à distance et dont il fit le remède à toutes les maladies.

Métagnomie
Terme forgé par Emile Boriac; il désigne la connaissance des choses ordinairement inaccessibles à l'esprit.

Métapsychique
Voir Parapsychologie.

Moutons
Dans la classification de Gertrude Schmeidler, personnes qui acceptent à priori l'existence du paranormal, se soumettent volontiers à l'expérimentation et obtiennent généralement des résultats statistiquement positifs.

O.O.B.E.
De l'anglais « Out of the Body Experiments », ou encore : *bilocation*, ou encore : *voyage hors du corps*. La bilocation est au sens strict un dédoublement partiel ou total de la personnalité. L'« O.O.B.E. » implique un déplacement spatial du double, qui « voyage » en dehors de son corps ou sous une forme dedoublée de celui-ci.

Paracinésie
Terme générique qui désigne toutes les manifestations motrices d'origine paranormale.

Parapsychologie, ou **métapsychique** ou **psychotronique**
La *métapsychique* de C. Richet considérait l'ensemble des phénomènes dus à des forces intelligentes inconnues. La *parapsychologie,* plus tard, envisagera plus particulièrement ceux dont la nature est (vraisemblablement) mentale. Alors que la métapsychique envisage la possibilité d'une réalité supérieure (en termes de valeur morale, ou de contenu existentiel), la parapsychologie scientifique s'efforce d'intégrer le

paranormal au normal, quitte à donner une extension ou un sens nouveau aux lois naturelles connues. Enfin, la *psychotronique* aborde le paranormal sous l'angle énergétique, et tâche d'en maîtriser le potentiel transformateur.

Paroptique (vision)
Faculté de voir sans avoir recours aux organes de la vision.

Perception extra-sensorielle
(abréviation P.E.S.) En anglais, *Extra Sensory Perception* (abréviation E.S.P.); en allemand, *Aussersinnliche Wahrnehmung* (abréviation ASW). Ensemble des phénomènes de perception dans lesquels n'interviennent aucun des sens habituels.

Percipient
Sujet qui perçoit une information extra-sensorielle

Poltergeist
Mot allemand qui signifie, littéralement, « esprit taquin ». Le poltergeist est un transport d'objet sans contact, provoqué volontairement ou spontanément.

Précognition
Perception extra-sensorielle d'objets ou d'événements objectifs futurs.

Prémonition
Phénomène, ou émotion, ou pensée spontanés qui annoncent un événement futur.

Psi
Terme général qui désigne la communication extra-sensorielle d'un sujet avec un événement extérieur passé, présent ou futur :
a) « *psi* » *positif* : effet « psi » qui donne le résultat attendu, lors d'une expérience de communication extra-sensorielle ou de télékinésie
b) « *psi* » *négatif* : effet « psi » qui donne un résultat contraire à celui prédit par l'expérimentateur.

Psychocinèse
Du grec : *psyché* : esprit. *kinêsis* : mouvement. « Influence psychique directe sur l'évolution d'un système physique » (Rhine).

Psychodysleptique
Substances qui forme la troisième classe des drogues psychotropes (les deux premières sont les dépresseurs et les antidépresseurs). Les psychodysleptiques ont la propriété d'« induire chez un sujet normal, un état oniroïde véritable psychose expérimentale » (H. Hey).

Psychokinésie (abréviation PK)
Influence mentale exercée sur un système physique ou un objet.

Psychotronique
Voir Parapsychologie.

Puységur
Armand-Marie, Marquis de, 1751-1825. Passionné par les recherches de Mesmer, cet Officier magnétisa un arbre auquel il conféra des propriétés plus étendues que celles «du Baquet» de son maître allemand. C'est Puységur qui révéla le rôle de la suggestion dans la création des symptômes «magnétiques».

Raps
Terme anglais qui désigne de petits bruits variés, caractéristiques d'un poltergeist. (cf. ce mot)

Réponse
Dans une expérience «psi», partie subjective de l'épreuve (information émanant du sujet).

Rétrocognition
Perception extra-sensorielle d'objets ou d'événements passés.

Réussite
Voir Statistique.

Synesthésie
a) Association de sensations de nature différente (audition colorée par exemple);

b) induction d'une sensation par une autre.

Spiritisme
Doctrine qui suppose l'existence d'esprits et la possibilité d'entrer en contact avec eux par l'intermédiaire d'un médium.

Spontané
Voir Cas.

Statistique
Méthode d'analyse des phénomènes paranormaux fondée sur le recensement de grandes séries de faits, et la mise en évidence des relations causales qui les associent. L'étude statistique commence par la définition d'une espérance logique, due au hasard. Dans le cas d'un «psi» positif, l'espérance est dépassée, la causalité est donc, en partie, un sur-hasard. On parle alors de réussite. Dans le cas d'un «psi» négatif, l'espérance n'est pas atteinte, la causalité est donc, en partie, un sous-hasard. Dans les deux cas, un facteur intervient pour augmenter ou diminuer la chance, ou espérance statistique.

Synopsie
Synesthésie audiovisuelle désignant l'audition colorée.

Télékinésie
Transport d'objet, ou

modification de sa structure sans intervention physique.

Télépathie
Communication à distance excluant l'usage des sens ou d'un dispositif mécanique quelconque.

Télergie
Force psychique supposée exercer une action plus ou moins visible sur la matière et dotée d'un *pouvoir d'information*.

Transe
Etat psychologique spontané ou provoqué qui caractérise le passage brutal d'un niveau de conscience à un autre.

Transfert
a) Transfert des sens : transport d'une fonction sensorielle en un point du corps distant de l'organe naturel correspondant (voir Paroptique);
b) transfert des sensations : opération par laquelle un sujet devient sensible à des impressions sensorielles reçues par un autre.

Ubiquité
Voir Bilocation.

Bibliographie

Dans les pages suivantes, nous nous sommes efforcés de rassembler les textes de base traitant, partiellement ou en totalité, de problèmes parapsychologiques. Un grand nombre concerne les applications pratiques et les méthodes de développement personnel. Il apparaîtra qu'une connaissance de l'anglais écrit est, pour le moins, souhaitable. Cette bibliographie comprend, en outre, les ouvrages cités dans ce livre.

R.H. Ashby :
  The Guidebook for the Study of Psychical Research (New York, Samuel Weiser Inc., 1972).

F. Barber :
  Biofeedback and Self Control (New York, Aldine Atherton, 1971).

Barrett et autres :
  Proceedings of the Society for Psychical Research (Londres, 1883).

J. Beloff :
  « Can Paranormal Abilities be Learned ? », in *Journal A.S.P.R.*, 61.

H. Bender :
  Unser sechster Sinn (Stuttgart, Deutsche Verlags Anstalt, 1971). *Etonnante Parapsychologie* (Paris, C.A.L., 1977).

C.D. Broad :
  The Notion of Precognition (J.R. Smythies Editions 1967).

184

E. Caslant :
Méthode de développement des facultés supranormales (Paris, Ed. Jean Meyer, 1937).

W. Carington :
Thought Transference (New York, Creative Age Press, 1946).

J.M. Charcot :
Les leçons du Mardi à la Salpêtrière (Paris, C.E.P.L., 1974).

G. Clérambault :
Automatisme mental et Psychoses hallucinatoires chroniques (Œuvre, 1942).

M. Clynes :
Sentics, the Touch of Emotions (New York, Anchor Press, Doubleday, 1977).

L. Daudet :
Le Rêve éveillé (Paris, Grasset, 1926).

J. Dauven :
Les pouvoirs de l'hypnose (St-Jean-de-Braye, Dangles, 1977).

R. Desoille :
Théorie et pratique du rêve éveillé dirigé (Genève, Ed. du Mont-Blanc, 1961).

J.W. Dune :
An Experiment with Time (Londres, 1927).

M. Ebon :
Test your E.S.P. (New York, New American Library, 1971).

J. Ehrenwald :
Telepathy and Medical Psychology (New York, W.W. Norton & Co., 1948).

M. Eliade :
Le Yoga, immortalité et liberté (Paris, Payot, 1975).
le Chamanisme et les techniques archaïques de l'extase (Paris, Payot, 1974).
Le folklore comme moyen de connaissance (1937)

G.F. Elwood :
Psychic Visit to the Past (New York, New American Library, 1970).

J. Favez-Boutonier :
« Psychothérapie par le rêve éveillé », in *Encycl., Méd. Chir. Psychiatr.*, C.I.O., I-3, 1955.

Ph. de Felice :
Poisons sacrés, ivresse divine (Paris, Albin Michel, 1936).

M. Feldenkrais :
la Conscience du corps (Paris, Robert Laffont, 1971).

C. Fort :
Le livre des damnés (Paris, Edition du Terrain Vague, 1967).

R. Fretigny et A. Virel :
l'Imagerie mentale, (Genève, Editions du Mont-Blanc, 1968).

S. Freud :
Introduction à la psychanalyse (Paris, Payot, 1964).

H. Gerloff :
The Crisis in Parapsychology : Stagnation or Progress? (Tittmoning, R.F.A., Walter Pustet, 1965).

C.H. Godefroy :
La Dynamique mentale (Paris, Laffont, 1976).

D. Hammond :
The Search for Psychic Power (Londres, Hodder et Stoughton, 1975).

C.E.M. Hansel :
E.S.P. : A Scientific Evaluation (New York, Chas Scribner's, 1966).

C. Happich :
« Bildbewusstsein als Ansatzstelle psychischer Behandlung », in *Zbl. Psychothek*, n° 5, 1932.

P. et B. Hayes :
Our first thousand Groups Spiritual Frontiers Fellowship (Evanston, U.S.A., 1973).

C. Honorton :
« Creativity and Precognition Scoring Level », in *Journal of Parapsychology*, XXXI, 29-42, 1967.
« Significant Factor in Hypnotically Induced Clairvoyant Dream », in

Proceedings of the Parapsychological Association. New directions in parapsychology (Londres, Elek science, 1974).

E. Jacobson :
Biologie des émotions (Paris, E.S.F., 1974).

Karlins, Marvin et Andrews :
Biofeedback : Turning on the Power of your Mind (New York, Paperback Library, 1973).

H. Larcher et P. Ravignant :
les Domaines de la parapsychologie (Paris, C.A.L., 1972).

L. Leshan :
Toward a General Theory of the Paranormal (New York, Parapsychology Foundation, 1969).

R.E.L.Masters et J. Houston :
The Varieties of Psychedelic Experiences (New York, Rhinehart et Winston, 1966).

G.V.T. Matthews :
Bird Navigation (Londres, Cambridge University Press, 1968).

G. de Maupassant :
Le Horla (Paris, Albin Michel).

R.A. McConnel :
« Wishing with Dice », in *Journal of Experimental Psychology*, 50.
« Remote Night Test for

P.K. », in *Journal of American Psychology Research*, n° 49.
Curriculum Guide for Secondary Schools and Colleges (New York, Simon & Schuster, 1971).

C. McCreery :
Psychical Phenomena and the Psychical World (Londres, Hamish Hamilton, 1973).

S. Monneret :
Savoir se relaxer (Paris, Retz, 1976).

S. Ostrander et L. Schrœder :
Handbook of Psi Discoveries (New York, Putnam, 1974).

W. Pannke :
The Use of Psychedelic Drugs in Parapsychological Research (New York, Parapsychological Foundation, 1971).

I.P. Pavlov
Le réflexe conditionné (Paris, Gonthier, « Médiations », 1963).

Pfungst :
Clever Hans (New York, Holt, Rhinehart et Winston, 1965).

R.V. Pilhes et J.P. Imbrohoris :
Toute la vérité, vol. 2 (Paris, Grasset, 1977).

A. Puharich :
The Sacred Mushroom (New York, Doubleday and Co, 1959).

H. Puthoff et R. Targ :
« Information Transmission under Conditions of Sensory Schielding », in *Nature*, octobre 1974.
Aux confins de l'esprit Albin Michel, Paris 1978

W. et M.J. Puthoff :
New Psychic Frontiers (Londres, Colin Smythe, 1975).

J.L. Randall :
Parapsychology and the Nature of Life (Londres, Souvenir Press, 1975).

J.B. Rhine :
la Double Puissance de l'esprit (Paris, Payot, 1971).

D. Rogo :
Methods and Model for Education in Parapsychology (New York, Parapsychology Foundation, 1974).

B. Russel :
ABC de la relativité (Paris, U.G.E., 1965).

M. Ryzl :
« A Method of Training in E.S.P. », in *International Journal of Parapsychology*, 8, 1966.
« Training the Psi Faculty by Hypnosis », in *Journal American Society for Parapsychology Research*, n° 41.

H. de Saint-Denys :
les Rêves et les moyens de les diriger (Paris, 1964).

H. Schmidt :
« Instrumentation in the
Parapsychological
Laboratory », in *New
Directions in Parapsychology*
(Londres, Elek Science,
1974).

J.H. Schultz :
Le Training autogène (Paris,
P.U.F., 1958).

**E. Servadio et R. Cavanna
ESP :**
*Experiments with L.S.D. and
Psylocibin* (New York,
Parapsychological
Foundation, 1964).

H.S. Sherman :
E.S.P. Manual (Little Rock,
U.S.A. Human Development
Association, 1974).

S.G. Soal et F. Bakeman :
*Modern Experiments in
Telepathy* (Londres, Faber &
Faber, 1954).

B. Steiger et W. Loring :
*Minds through Space and
Time* (Award Books, 1971).

C. Tart :
*The Application of Learning
Theory to E.S.P.
Performance* (New York,
Parapsychology Foundation).
A Psychological Study of

Marijuana Intoxication (Palo
Alto, Science and Behavior
Books, 1971).

R.H. Thouless :
*From Anecdote to Experiment
in Psychical Research*
(Londres, Routledge et
Kegan Paul, 1972).

L.T. Troland :
*A Technique for the
Experimental Study of
Telepathy and Other Alleged
Clairvoyance Processes*
(Harvard, 1932).

G. Ungar :
A la recherche de la mémoire
(Paris, Fayard, 1971).

L. Vasiliev :
*Experiments in Mental
Suggestion* (Hampshire,
England, Gally Hill Press,
1963).

A. Vaughan :
« Development of the
Psychic », in *Psychic*, vol. 2,
1970.

R. Warcollier :
La métaphysique (Paris,
P.U.F., 1946).

D.J. West :
Psychical Research Today
(Londres, Penguin Books,
1962).

Achevé d'imprimer
sur les presses de
SCORPION
Verviers,
pour le compte des
Nouvelles Editions Marabout
D. 1979/0099/17.

Table des matières